Maquillage pour ados

UN LOOK
POUR
CHAQUE
HUMEUR

Broquet

LINDA MASON

97-B, Montée des Bouleaux,
Saint-Constant, PQ, Canada J5A 1A9,
Tél. : (450) 638-3338 **Téléc.** : (450) 638-4338
Internet : http://www.broquet.qc.ca
Couriel : info@broquet.qc.ca

Je dédie ce livre à ma petite chérie Daisy et à toutes les filles. Merci pour ton inspiration et pour tout l'amour que tu nous donnes. J'espère que ton étincelle créatrice demeurera intacte pour toujours.

Catalogage avant publication de Bibliothèque et Archives Canada

Mason, Linda, 1946-

    Maquillage pour ados

    Traduction de : Teen makeup.

    ISBN 2-89000-768-5

    1. Maquillage - Ouvrages pour la jeunesse. 2. Cosmétiques - Ouvrages pour la jeunesse. 3. Beauté corporelle - Ouvrages pour la jeunesse. 4. Adolescentes - Santé et hygiène - Ouvrages pour la jeunesse. I. Titre.

RA777.25.M3714 2006   j646.7'208352   C2006-940606-5

POUR L'AIDE À LA RÉALISATION DE SON PROGRAMME ÉDITORIAL, L'ÉDITEUR REMERCIE :
Le gouvernement du Canada par l'entremise du Programme d'aide au développement de l'industrie de l'édition (PADIÉ) ; la Société de développement des entreprises culturelles (SODEC) ; l'Association pour l'exportation du livre canadien (AELC) ; le gouvernement du Québec - Programme de crédit d'impôt pour l'édition de livres - Gestion SODEC.

TITRE ORIGINAL : TEEN MAKEUP
Publié pour la première fois en 2004 par Watson-Guptill Publications
Copyright © 2004 Linda Mason.

Directrice principale des acquisitions : Julie Mazur
Rédactrice : Elizabeth Wright
Conception (intérieur) : Margo Mooney
Directrice de production : Barbara Greenberg

POUR L'ÉDITION EN LANGUE FRANÇAISE
Copyright © Ottawa 2006
Broquet inc.
Dépôt légal — Bibliothèque nationale du Québec
3e trimestre 2006

Traduction : Anne-Marie Courtemanche
Révision : Denis Poulet
Infographie : Chantal Greer
Conception (couverture) : Brigit Levesque

ISBN 2-89000-768-5

Imprimé en Malaisie

table des matières

MAQUILLAGE 101 :
LES RUDIMENTS   14

MAQUILLAGE
TRANSFORMATIONS   40

La PUISSANCE DES ASTRES   118

remerciements

Ce livre m'a donné la chance de mieux connaître les amies de ma fille Daisy, mais aussi de rencontrer les filles de mes amis et clients. Par exemple, Lindzay, la fille de mes voisins, que j'ai connue toute petite et mignonne et que je vois maintenant devenir une superbe jeune femme. J'ai rencontré Lucinda lors d'une scéance de photos. Parmi les autres mannequins, Caitlin (Poissons) est diplômée d'une très réputée école de beauté de Greensboro, en Caroline du Nord, dirigée par une femme incroyable qui est aussi une amie : Parker Washburn.

Quelques clientes remarquables qui, par hasard, ont mis les pieds dans ma boutique une de ces journées avec un look fantastique : Esra, Ming et Alex.

J'aimerais remercier ma fille Daisy pour toute son aide avec les mannequins et dans l'écriture de ce livre. J'aimerais également remercier toutes les mannequins, qui ont été merveilleuses et qui ont donné beaucoup de temps pour que ce projet puisse voir le jour : Alex Tatarsky, Alice Hlidek, Aziza Dyer, Caitlin Venters, Candice Duffy, Daisy Mason, Elizabeth Kadernauth, Elizabeth Cohn, Emma Messing Alabaster, Esra Padgett, Jennifer Sanoh, Jessica Sanoh, Katrina Lencek-Inagaki, Laura Stubben, Lindzay Wanner, Lucinda Ruh, Melissa Day, Ming Lin, Malaya Wibmer, Marcella Tosi, Natalie Gelman, Sasha Cohen, Sarah Yagerman, Sarah Levine, Shantie Mid-night, Skye Fischer, Stephanie Schonbrun, Suzanne Brancaccio et Tania Haselwander.

J'aimerais aussi remercier les maquilleurs et maquilleuses ; mes ancien(ne)s élèves et internes : Heather Gould-Sale, Jessica Ross (pour le maquillage glamour de Tania) ; Tiffany French (pour le maquillage de Laura, Lion) ; Yuka Suzuki (pour le maquillage de Melissa, Sagittaire, et de Ming) ; Mimi Latham (pour le maquillage rétro de Suzanne et le maquillage glamour de Jennifer, le maquillage classique de Tania et celui de Caitlin, Poissons) ; Nikki Berryman (pour le maquillage glamour de Jessica, le maquillage cool de Jennifer, le maquillage de fin d'études de Jennifer, le maquillage extravagant de Daisy et de Natalie) ; Nina Allen (pour le maquillage extravagantde sa magnifique fille Tania) ; Elise Kull (pour le maquillage cool de Katrina et le maquillage rétro de Katrina) ; et Megan Belz (pour le maquillage glamour de Suzanne). Je remercie également Utta, coiffeuse chez John Sahag Workshop (pour la coiffure cool de Katrina, la coiffure rétro de Katrina et la coiffure glamour de Suzanne) ; Lynn Midolo (pour la coiffure rétro de Suzanne, de Marcella, Vierge, et de Caitlin, Poissons) ; et Eddie Teboul de L'Atelier New York (pour la coiffure de Melissa, Sagittaire, et de Lauren, Lion). Enfin, j'aimerais remercier Julie Mazur qui a eu confiance en moi pour la réalisation de ce projet ; Elizabeth Wright qui a fait un travail extraordinaire afin de rendre ce livre plus accessible aux ados (ce fut une fois de plus un plaisir de travailler avec toi !) ; Margo Mooney pour sa fabuleuse maquette ; ainsi qu'Ellen Greene et Barbara Greenberg pour leurs contributions essentielles. Un merci tout spécial à mon agent, Jayne Rockmill, pour son énergie empreinte de zéle et son expertise.

avant-propos

Au cours des 25 dernières années, mon travail de maquilleuse m'a permis de travailler avec des adolescentes, parfois aussi jeunes que 14 ou 15 ans. Je travaille souvent pour les magazines *Seventeen* et *YM*, mais même lors de scéances de photos pour *Vogue*, j'ai maquillé des filles aussi jeunes que 14 ans.

J'adorais le maquillage lorsque j'étais adolescente. comme j'aimais pouvoir me transformer, devenir maquilleuse et pouvoir transformer les autres m'a permis de continuer à vivre cette passion qui ne m'a jamais quittée depuis. Ma fille Daisy a toujours aimé le maquillage et apprécié m'accompagner lors de scéances de photos et jouer avec du maquillage, et ce depuis qu'elle est toute petite. Lorsqu'elle a eu 10 ans, elle a inspiré la création d'une ligne de maquillage qui arborait ses dessins et mes dessins.

Maintenant adolescente, Daisy m'a inspirée pour ce livre. Ce livre est destiné à ses amies (les filles que vous verrez se transformer sous vos yeux dans les pages qui suivent), à elle aussi bien sûr, et à toutes les adolescentes du monde. Je souhaite qu'elles puissent s'amuser et explorer l'aspect créatif du maquillage, ainsi que les aspects très glamour de l'expérience de mannequin, sans devoir vivre la pression du métier.

Daisy et Linda
Photo de Lorraine Sylvestre

Katrina, Sasha et Daisy lors de leur remise de diplômes à l'école primaire.

a propos

La vie est un parcours de découverte de soi. Et nos années d'adolescence sont une portion tout particulièrement importante de ce parcours. Les adolescents et adolescentes aiment exprimer ce qu'ils ressentent dans la façon dont ils s'habillent et se maquillent. Faire l'essai de plusieurs images est partie intégrante de la découverte de soi — prendre le temps de jouer et de faire des expériences ! Ce livre t'apprendra à exprimer ton sens du style par le maquillage. Et tu n'es pas obligée de coller à un look plutôt qu'à un autre — découvrir qui on est un processus qui prend du temps — et qui risque de durer toujours ! Et c'est parfait comme ça. Explorer différents styles peut t'aider à comprendre comment mettre en valeur tes plus belles qualités, alors que le sens du jeu t'aidera à renforcer tes sentiments face à qui tu es. À la maison, devant ton miroir, tu peux créer un visage punk afin d'exprimer ton côté plus sombre, ou adopter un look doux qui adoucira ton visage et présentera un côté plus innocent de ta personnalité.

Le maquillage n'est pas que l'accessoire mode ultime, c'est aussi une forme d'expression artistique ! Plus tu expérimentes, plus tu t'amuseras et plus tu seras habile. Tu recherches un look plus cool ou plus glamour ? Une fois que tu auras appris les rudiments du métier, soit les notions élémentaires concernant les techniques, les couleurs et les outils, tu verras, c'est facile ! Exerce-toi seule et surprend tes amies en adoptant un nouveau style, ou feuillette ce livre et exerce-toi avec tes amies. Le maquillage, c'est une question de transformation. Dis-toi donc que tu n'es jamais trop vieille pour t'amuser à te déguiser.

de ce livre

La vérité sur le métier de **mannequin**

Tu flippes pour le maquillage et la coiffure ? Est-ce que tu dépenses toutes tes allocations à l'achat de magazines de mode ? As-tu plus de vêtements que Sarah Jessica Parker ? Aimes-tu être sous les projecteurs ? Si c'est le cas, tu t'es sûrement déjà demandé comment ce serait d'être mannequin. Ça peut sembler un métier de rêve, et ça l'est pour plusieurs filles, mais il y a aussi plusieurs faits à prendre en compte avant d'entreprendre une carrière de mannequin (ou de devenir mannequin dans tes moments de loisir).

Être mannequin peut être très amusant, mais tu devras être très tenace et être en mesure de te distancier de ton image. Une bonne dose de confiance en soi est essentielle. Tu ne peux faire plaisir à tout le monde en même temps — et certains jours, tu risques de ne faire plaisir à personne. Bien des filles sont magnifiques dans la vie, mais elles ne sont pas nécessairement photogéniques. Ou bien elles sont trop petites ou trop grandes, ou n'ont pas le « look du moment ».

Si c'est l'appât du gain qui motive ton intérêt pour ce métier, tu dois savoir que très peu de mannequins gagnent de gros salaires — seules les top dont on entend souvent parler gagnent très bien leur vie.

Si on considère le temps nécessaire pour se rendre à tous ces rendez-vous — alors que seulement un petit nombre aboutiront à un contrat — et le coût d'un portfolio à jour, on réalise vite que la plupart des ados mannequins gagneraient le même salaire avec un job d'été au centre commercial. Le monde de la mode évolue très rapidement selon les tendances ; une carrière de mannequin est donc normalement courte. Si tu es intéressée à travailler comme mannequin, tu devrais viser à terminer tes études afin d'avoir une bonne éducation et d'assurer ton avenir, une foi ta carrière de mannequin terminée.

le CÔTÉ AMUSANT

* Pouvoir porter des vêtements et accessoires tout à fait fabuleux
* Travailler avec des personnes aussi talentueuses que créatives
* Avoir l'occasion d'apprendre énormément en très peu de temps
* Voyager et découvrir de superbes endroits
* Rencontrer et développer une forme de camaraderie avec des mannequins plus âgées
* Apprendre à travailler en équipe
* Recevoir beaucoup d'attention

l'ENVERS de la MÉDAILLE

* Travailler dur pendant les vacances scolaires
* Toujours être jugée sur ton apparence physique
* Devoir attendre à la dernière minute pour savoir ce que tu feras le lendemain
* Faire d'innombrables visites chez des clients potentiels afin d'être choisie pour un travail
* Arriver au travail à 8 H et devoir attendre jusqu'à 16 H pour participer à ta première séance de photo
* Travailler avec des personnes

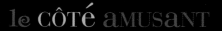

Alice affichant un look très glamour pour une scéance de photos

Alice portant un maquillage extravagant

Alice avec un maquillage cool

Alice avec un maquillage rétro

Les **filles** de ce **livre**

Toutes les filles qui sont présentées dans ce livre sont réelles. Ce sont des filles comme toi. Ma fille Daisy m'a inspirée pour la rédaction de ce livre. Au lieu d'embaucher des mannequins professionnelles, j'ai donc décidé de retenir les services de Daisy et de ses amies (ainsi que les filles de certains de mes amis et amies) pour la réalisation des photographies du livre. Comme tu le remarqueras, elles représentent différentes teintes de peau, couleurs de cheveux, horizons ethniques et personnalités. Tu verras comment divers types de maquillages peuvent mettre en valeur diverses qualités d'un visage et donner plusieurs aspects à un même visage. Vous voyez ici les filles sans aucun maquillage : en feuilletant le livre, tu trouveras des photos des filles affichent différents styles de maquillage (les numéros de page de toutes les photos sont précisés dans l'index, page 144).

alex t. Âge 14 **Son conseil beauté** Jamais trop de fond de teint ! Le naturel doit primer. **Must maquillage** Brillant à lèvres le plus fruité et le plus savoureux possible ! **Modèle de rôle beauté** Je trouve que Norah Jones est toujours fabuleuse, sans efforts. **Astuce beauté pour une soirée** Saupoudrer une subtile poudre chatoyante pour le corps sur mes joues et sur mes épaules pour obtenir une brillance chaude comme le miel.

alice Âge 18 **Son conseil beauté** Créer des couleurs uniques de fard à paupières en appliquant d'abord une couleur foncée, puis en ajoutant par-dessus une couleur pâle et chatoyante. **Must maquillage** Cache-cernes avec protection solaire FPS 10 et poudre scintillante. **Modèle de rôle beauté** Brooke Shields. **Astuce beauté pour une soirée** Je trace le contour de mes yeux avec un crayon noir et de l'ombre à paupières, avec des fards à paupières chatoyants dans les tons bleu, rose et argent. Sur mes lèvres, j'applique un brillant rose pâle. J'utilise aussi un produit bronzeur pour donner une fausse impression de bronzage sur mes joues.

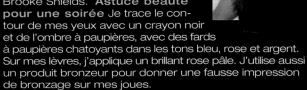

aziza Âge 17 **Son conseil beauté** Le fard à paupières bleu pâle métallique pour faire ressortir la couleur des yeux. **Must maquillage** Beurre de cacao. **Modèle de rôle beauté** James King. **Astuce beauté pour une soirée** Un crayon pour les yeux coloré appliqué sous l'œil et joli fard à joues.

caitlin Âge 21 **Son conseil beauté** Vérifie la couleur de ton fond de teint à la lumière du jour pour t'assurer qu'il s'harmonise avec la teinte de peau de ton cou. **Must maquillage** Mascara. **Modèle de rôle beauté** Ma mère, dont les astuces beauté simples et les règles du genre « démaquille-toi avant d'aller te coucher » ne m'ont jamais quittée. **Astuce beauté pour une soirée** Créer un regard théâtral.

candice Âge 18 **Son conseil beauté** J'applique du fond de teint sur mes lèvres pour en neutraliser la couleur et permettre à mon rouge à lèvres de durer plus longtemps. **Must maquillage** Mascara ! **Modèle de rôle beauté** Ma mère. **Astuce beauté pour une soirée** Utiliser du brillant à lèvres transparent comme fard à paupières ou sous le fard à paupières. J'en applique juste sous mes sourcils.

daisy Âge 17 **Son conseil beauté** Utiliser du fard à paupières de couleur « nuage » (blanc avec une touche de lilas) pour éclaircir mes yeux et mon visage. **Must maquillage** Fard à joues et huile d'amande douce. **Modèle de rôle beauté** Ma mère. **Astuce beauté pour une soirée** Utiliser du crayon pour les yeux liquide de couleur rouge ou violet pour allonger mes yeux.

elizabeth c.

Âge 16 Must maquillage Cache-cernes et brillant à lèvres. **Modèle de rôle beauté** Jennifer Aniston, elle a des cheveux superbes.

elizabeth k.

Âge 19 Son conseil beauté Un produit bronzeur qui sert à surligner et à accentuer les pommettes, et qui ajoute une brillance dimensionnelle à ton visage. **Must maquillage** Un nettoyant et un bon hydratant. **Modèle de rôle beauté** Charlize Theron — pour son look toujours élégant et impeccable. Ses yeux sont magnifiques et son maquillage s'harmonise toujours bien avec ce qu'elle porte. **Astuce beauté pour une soirée** Porter du brillant à lèvres avec, par-dessus, une couche de rouge à lèvres perlé. Les lèvres auront ainsi l'air plus pleines et invitantes.

emma

Âge 17 Son conseil beauté Les masques pour le visage à l'avocat. **Must maquillage** Brillant à lèvres. **Modèle de rôle beauté** Drew Barrymore. **Astuce beauté pour une soirée** Appliquer un crayon pour les yeux de couleur.

esra

Âge 15 Son conseil beauté Le brillant à lèvres d'apparence naturelle est facile à porter et est très joli, sans toutefois créer un look trop recherché. **Must maquillage** Crayon scintillant pour les yeux — J'en mets presque tous les jours. Même lorsque le crayon s'efface, les brillants qu'il contient continuent de faire briller mes yeux. **Modèle de rôle beauté** Edie Sedgewick. **Astuce beauté pour une soirée** Porter un maquillage et/ou des vêtements plus colorés que ce que tu portes au quotidien.

jennifer

Âge 18 Son conseil beauté Si tu as une soirée et que tu souhaites que ton maquillage dure, vaporise un léger jet de fixatif pour cheveux dans les airs et traverse cette brume — ton maquillage durera toute la soirée. **Must maquillage** Brillant à lèvres. **Modèle de rôle beauté** Iman — sa personnalité est magnifique et sa beauté est visible au travers de son apparence physique. **Astuce beauté pour une soirée** Appliquer le maquillage dans la lumière naturelle d'une fenêtre.

jessica

Âge 18 Son conseil beauté Appliquer le maquillage dans la lumière naturelle d'une fenêtre. **Must maquillage** Brillant à lèvres. **Modèles de rôle beauté** La mannequin Iman, l'actrice Halle Berry, ainsi que les chanteuses Brandy et Beyonce Knowles. **Astuce beauté pour une soirée** (même que celle de Jennifer, ci-dessus)

katrina

Âge 17 Son conseil beauté Je suis une junkie du cache-cernes. Je ne quitte jamais la maison sans en avoir d'abord appliqué sous mes yeux. **Must maquillage** Cetaphil, pour nettoyer mon visage. J'ai une peau sensible. Je l'utilise donc deux fois par jour, le matin et le soir. **Modèle de rôle beauté** Personne en particulier — toutes ces filles qui sont naturellement belles dès qu'elles mettent le pied hors du lit. **Astuce beauté pour une soirée** Appliquer une marque de crayon noir pour les yeux au-dessus de mes yeux.

laura

Âge 19 Son conseil beauté Appliquer un hydratant dès la sortie de la douche pour que la peau l'absorbe mieux. **Must maquillage** Crayon vert pour les yeux. **Modèle de rôle beauté** Kevin Aucoin (maquilleur). **Astuce beauté pour une soirée** Utiliser un brillant à lèvres transparent pour rehausser l'apparence des lèvres.

lindzay Âge 13 Son conseil beauté Ma vision de la beauté est de bien se sentir à propos de son apparence, peu importe les différents styles que l'on peut adopter. **Modèles de rôle beauté** Audrey Hepburn, Catherine Zeta Jones, Katherine Hepburn et Judy Garland.

lucinda Âge 24 Son conseil beauté Utiliser du fard à paupières mauve ou rose pour mettre en évidence les yeux bleus ou verts. J'aime aussi le brillant à lèvres teinté mauve, le mascara mauve, et le fard à joues rose ou orange. **Must maquillage** Brillant à lèvres, fard à joues et une bonne nuit de sommeil. **Modèles de rôle beauté** Cameron Diaz, Christy Turlington, Charlize Theron et Reese Witherspoon. **Astuce beauté pour une soirée** Sourire et utiliser un recourbe-cils et du mascara. Aussi, appliquer un peu de rose ou de doré chatoyant sur le coin intérieur des yeux.

malaya Âge 17 Son conseil beauté Ne jamais oublier de se démaquiller chaque jour ! **Must maquillage** Mascara et brillant à lèvres. **Modèle de rôle beauté** Audrey Hepburn. **Astuce beauté pour une soirée** Tout simplement être à l'aise avec son apparence.

marcella Âge 18 Son conseil beauté Moins, c'est mieux — soyez naturelle. **Must maquillage** Fond de teint. **Modèle de rôle beauté** Salma Hayek. **Astuce beauté pour une soirée** Fard à paupières ! Ça ajoute une touche de couleur (j'aime le violet et le bleu) et ça accentue les yeux. Différent des normes. Amusant à mélanger ; et les gens remarquent la différence.

melissa Âge 21 Son conseil beauté Utiliser des couleurs chaudes de fard à joues avec des teintes froides de maquillage pour les yeux. **Must maquillage** Brillant à lèvres. **Modèle de rôle beauté** Kim Basinger. **Astuce beauté pour une soirée** Rouge à lèvres de teinte orangée.

ming Âge 15 **Must maquillage** Crayon noir pour les yeux. **Modèle de rôle beauté** Bjork — parce qu'elle est unique et créative. **Astuce beauté pour une soirée** Dessiner une étoile sous l'œil à l'aide d'un crayon noir pour les yeux.

natalie Âge 18 Son conseil beauté Tiens la brosse à mascara pendant quelques secondes à l'extrémité de tes cils pour fixer la courbe. **Must maquillage** Mascara, brillant à lèvres teinté et hydratant. **Modèle de rôle beauté** Mon amie Daisy. Si je vois quelque chose d'intéressant sur quelqu'un, je vais l'essayer. **Astuce beauté pour une soirée** Appliquer une poudre scintillante ou des brillants sur l'arche de mes sourcils et sur mes pommettes. J'aime aussi porter de faux tatouages ou une couleur de fard à paupières unique pour créer un maquillage de soirée spécial.

sarah l. Âge 17

Son conseil beauté Ne surcharge pas ta peau. J'aime maquiller mes yeux et porter seulement du brillant ou du rouge à lèvres ; pas de fard à paupières. **Must maquillage** Baume pour les lèvres. **Modèle de rôle beauté** Ginger Rogers. **Astuce beauté pour une soirée** Poudre chatoyante métallique.

sarah y. Âge 18

Son conseil beauté Utiliser un brillant à lèvres rose pâle pour atténuer l'importance de mes lèvres et accentuer les autres caractéristiques de mon visage. **Must maquillage** Mascara. **Modèle de rôle beauté** Ma grande sœur Rebecca. **Astuce beauté pour une soirée** Y aller d'un maquillage plus foncé pour les yeux et s'amuser avec les couleurs.

sasha Âge 17

Son conseil beauté Utiliser du brillant à lèvres sur mes yeux. **Must maquillage** Brillant à lèvres. **Modèle de rôle beauté** À part Linda Mason ? Naomi Campbell parce qu'elle est tellement belle. **Astuce beauté pour une soirée** Appliquer du brillant à lèvres sur les paupières et du fard à paupières par-dessus.

sky Âge 14

Son conseil beauté Faire ressortir la couleur de tes yeux en utilisant un crayon de couleur pour les yeux. **Must maquillage** Mascara. **Modèle de rôle beauté** J'aime comment Giselle donne à tout une apparence si naturelle ! **Astuce beauté pour une soirée** Dans une fête, il faut briller !

stephanie Âge 15

Son conseil beauté Utiliser une poudre chatoyante pâle sur mes yeux. **Must maquillage** Le mascara pour allonger mes cils. **Modèles de rôle beauté** Paulina Poriskova, Jennifer Lopez, Elizabeth Hurley et Tyra Banks. **Astuce beauté pour une soirée** Utiliser du crayon noir pour les yeux sur la moitié extérieure de la paupière supérieure avec du fard à paupières chatoyant doré ou vert pâle et un brillant à lèvres neutre.

suzanne b. Âge 17

Son conseil beauté Des fards à paupières de couleur lumineuse pour mettre les yeux en évidence. **Must maquillage** Mascara. **Modèle de rôle beauté** Kate Moss. **Astuce beauté pour une soirée** Rouge à lèvres foncé.

tania Âge 18

Son conseil beauté Illuminer son visage en portant du fard à joues en crème et du mascara. **Must maquillage** Après avoir nettoyé mon visage, j'applique toujours de la vitamine E. **Modèle de rôle beauté** Ma mère. **Astuce beauté pour une soirée** Je n'en ai pas besoin — ma mère a suivi des cours de Linda Mason et c'est maintenant elle qui me maquille !

MAQUILLAGE
101: LES RUDIMENTS

Avant d'apprendre plein de choses sur différents styles de maquillage, tu dois connaître certains rudiments. Bienvenue au cours Maquillage 101 ! Dans cette section, je t'apprendrai comment prendre soin de ta peau pour avoir un look exceptionnel — même sans maquillage. Je répondrai ensuite à toutes tes questions sur le maquillage : quoi choisir (poudre ? crayon ? mat ? transparent ?), où l'appliquer et comment l'appliquer. Enfin, je t'expliquerai comment mélanger et harmoniser les couleurs de maquillage pour faire ressortir les magnifiques traits de ton visage.

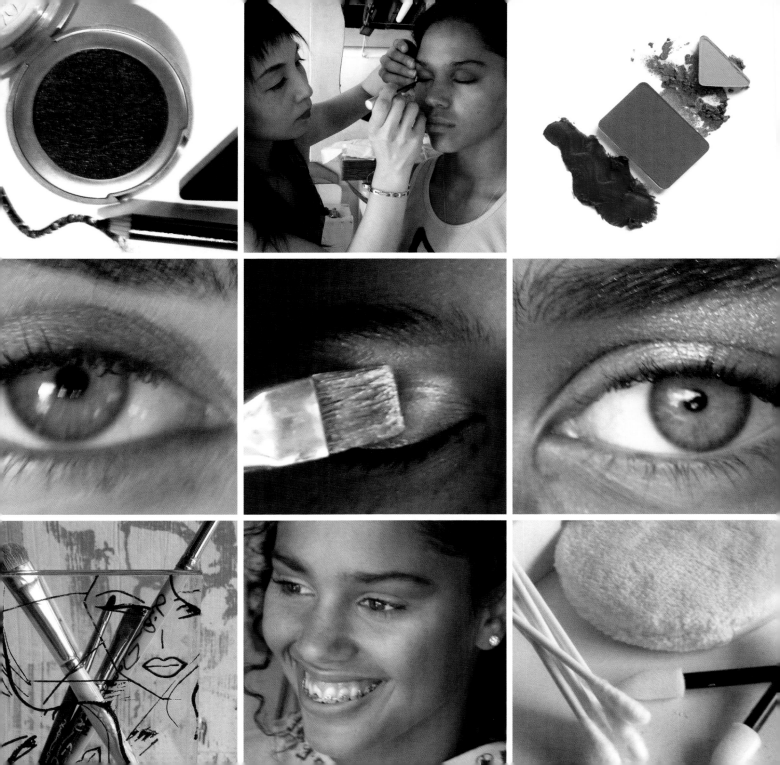

soins de la peau

As-tu déjà été aux prises avec une rougeur la journée de la scéance de photo de fin d'année ? Regardons les choses en face... La **peau** adolescente est d'humeur changeante et en prendre soin peut sembler un travail à temps plein. Bonne nouvelle : tu peux atténuer les conditions qui provoquent les deux principaux problèmes de peau chez les adolescents — les pores obstrués et les boutons — si tu développes de bonnes habitudes de soins de la peau. Cela ne signifie pas d'appliquer des tonnes de médicaments pour les boutons ou des produits astringents qui assécheront ta peau (une erreur fréquente dans les soins de la peau des adolescents). De **bonnes habitudes** t'éviteront des problèmes *avant* qu'ils surviennent et te donneront un **visage de santé** afin que tu aies l'apparence **d'une super-modèle** pour toutes tes photos de fin d'année !

Nettoyage

Au cours de la journée, ta peau est exposée à la saleté et à la pollution contenue dans l'air ; pendant la nuit, pendant que tu dors, ta peau se débarrasse de tous ces déchets. Il est donc très important de nettoyer ta peau le matin *et* le soir.

Le meilleur savon est celui qui nettoie naturellement et délicatement, et que tu peux utiliser deux fois par jour sans trop assécher ta peau. Si ta peau est normale ou sèche, je te recommande un savon à l'aloès puisque celui-ci est doux et hydratant. Les savons naturels à base d'extrait de théier sont parfaits si tu as des boutons et des points noirs. Si ta peau est ultrasensible, évite le savon et utilise plutôt un produit nettoyant doux (voir « Produits nettoyants et toniques » en page 19).

**Savon à l'aloès
pour peaux très sèches**

**Savon à base d'extrait de
théier pour peaux grasses**

N'oublie pas de masser ton nez lorsque tu nettoies ton visage ! Passe légèrement tes doigts sur ton nez une fois ton visage bien sec. La peau y est-elle plus rugueuse qu'ailleurs sur ton visage ? Sens-tu les pores obstrués ? Il n'est pas nécessaire « d'assécher » la région pour résoudre le problème. Un bon nettoyage suffira. Rince ton visage à l'eau tiède, et non pas chaude, et masse délicatement ta peau avec le savon. Porte une attention spéciale au nez et passe au moins 10 secondes à le masser à l'aide de mouvements circulaires avec tes deux doigts du milieu. Ton menton risque aussi d'avoir besoin de soins spéciaux. Il est judicieux d'utiliser, de temps à autre, un produit désincrustant doux pour le visage. Souvent, une fois aux deux semaines suffira.

PRODUITS NETTOYANTS et TONIQUES

Si tu portes un fond de teint en crème ou une base pendant la journée, utilise un nettoyant et un tonique le soir, et seulement du savon le matin — les produits nettoyants nettoient mieux le fond de teint que le savon. Si tu as la peau sèche, utilise un produit nettoyant en crème ; si ta peau est grasse, un produit nettoyant en mousse ou un gel sera préférable. Masse délicatement ton visage avec le produit nettoyant, comme tu le ferais avec du savon. Porte une attention particulière au nez, au menton et au front. Une ouate imbibée de tonique doux éliminera toute trace de saleté ou de nettoyant (si la ouate est trop sèche, elle irritera ta peau). Tu pourrais aussi être tentée d'essuyer cette huile avec un tonique fort, mais n'en fais rien ! Un tonique fort peut irriter et trop assécher une peau grasse, qui sécrétera alors encore plus d'huile ! Une formule douce est préférable. Si ta peau est très sensible, n'utilise pas du tout de savon. Utilise plutôt un nettoyant et un tonique extrêmement doux le matin et le soir.

HYDRATANTS

Si tu as une peau sèche, applique un hydratant de jour léger une fois ton visage nettoyé. Certains produits hydratants contiennent une protection contre les UV, ce qui permet de régler deux problèmes simultanément ! Si ta peau est grasse, tu n'as pas vraiment besoin d'un hydratant. Assure-toi de boire beaucoup d'eau et de prendre garde de ne pas utiliser trop de produits qui assécheraient ta peau.

Problèmes de peau

La plupart des ados ont des problèmes de peau à l'occasion, sinon tout le temps. Au cours de l'adolescence, l'équilibre hormonal change, poussant la peau à produire plus d'huile à certains moments. Une alimentation saine et de bonnes habitudes de soins de la peau sont essentielles pour faire face aux hauts et aux bas de tes niveaux d'hormones, et à leurs effets sur ta peau. *Bois beaucoup d'eau et mange beaucoup de salades, de fruits et de légumes frais.* Évite de manger des aliments cuits dans de grandes quantités de gras, ou beaucoup de fromage ou de sucre.

La peau des ados est très sensible. Elle laisse transparaître tout conflit intérieur et peut réagir instantanément à ce qui est en contact avec elle. Le seul fait de toucher ton visage avec tes mains pendant la journée peut faire naître des boutons. Même les produits pour les cheveux peuvent provoquer des boutons autour du visage. Si tes cheveux tombent dans ton visage et que tu développes des boutons dans cette région, ce sont probablement les produits que tu utilises pour tes cheveux qui en sont la cause. Si tu soupçonnes que c'est le cas, cesse d'utiliser ton revitalisant pendant quelques semaines afin de déterminer si l'apparence de ta peau s'améliore. Sinon, essaie de changer de shampoing ou de coiffer tes cheveux pour qu'ils ne tombent pas dans ton visage.

Les crèmes et les médicaments spéciaux pour les boutons doivent être utilisés uniquement sur les boutons, sinon ils assèchent et irritent la peau. Ce peut sembler un peu étrange mais si une portion de ton visage est trop asséchée par une crème contre l'acné, tu peux masser cette portion avec de l'huile d'amande douce et la laisser agir quelque temps avant de nettoyer ta peau. Cela contribuera à soulager la peau squameuse ou les cicatrices causées par les éruptions de boutons et leur assèchement. (Pour savoir comment masquer des boutons avec du cache-cernes, voir page 27.)

masques pour le visage

Utiliser un masque de boue de temps à autre permettra de nettoyer les pores en profondeur et d'exfolier les cellules de peau morte. (L'exfoliation est un processus permettant d'éliminer les cellules mortes de la couche supérieure de la peau.) Il existe également des masques nourrissants et hydratants pour celles qui ont la peau plus sèche. Les masques pour le visage peuvent être agréables à faire avec des copines lors d'une soirée-pyjama, avec d'autres traitements beauté. Mais il ne faut pas oublier qu'il n'existe pas deux personnes avec la même peau. Trouve le régime qui te convient le mieux et change-le au besoin.

zones à PROBLÈMES

Ton nez Le nez est naturellement huileux, et la plupart d'entre nous avons tendance à ne pas le dorloter autant que le reste de notre visage. Il reste donc plus rugueux, puis les pores se bouchent, ce qui provoque des points noirs. Cela donne aussi l'impression que ta base/ou ton fond de teint est plus épais lorsque tu l'appliques dans cette portion du visage. Tu peux trouver des bandelettes pour le nettoyage des pores dans la plupart des pharmacies ; elles sont très pratiques pour éliminer la saleté qui cause les points noirs. Mais ne les utilise pas trop souvent puisqu'elles peuvent irriter ta peau.

Ton menton Cette région du visage a aussi tendance à être huileuse, et à être l'hôte de points noirs et de boutons. Elle a besoin des mêmes soins attentionnés que ton nez. Nettoie doucement la région matin et soir. En cas d'éruption, applique une crème contre les boutons uniquement sur la région affectée, et non pas sur la peau environnante, puis tapote légèrement avec ton petit doigt. Veillez à ce que tes mains soient propres pour éviter d'irriguer la peau déjà rouge et sensible. Bois beaucoup d'eau, mange des fruits et légumes frais, et tente de ne pas toucher au bouton.

Si tu as des problèmes importants avec les boutons, consulte un dermatologue. Pour les problèmes mineurs comme les pores obstrués, tu peux prendre rendez-vous dans un salon d'esthétique pour un traitement du visage qui redonnera tout son lustre à ta peau en vue d'une occasion spéciale.

Protéger ta peau

Si tu as une peau sensible avec des taches de rousseur, tu devrais commencer à utiliser un hydratant pour le visage avec protection contre les UV : une trop grande exposition aux rayons ultraviolets peut endommager ta peau et causer le cancer de la peau. Tu devrais d'ailleurs porter une protection UV même l'hiver. Toutefois, l'été, il est préférable d'utiliser une formule plus forte, soit une crème solaire avec indice de protection FPS 15. Les taches de rousseur sont très mignonnes, mais elles t'indiquent que ta peau a besoin d'une protection supplémentaire. Mon conseil à toute personne dont la peau développe facilement des taches de rousseur est de bien se couvrir et d'adopter la mode des chapeaux ! Reste à l'ombre si tu passes plusieurs heures près de la piscine et utilise une protection solaire. Si tu prends cette habitude, tu resteras fraîche comme une rose même en vieillissant, tu t'éviteras bien des visites chez le médecin et tu n'envieras même pas un instant les adeptes de la chirurgie plastique.

De magnifiques **mains** et **pieds nus**

Des mains et des pieds bien entretenus procurent confiance de la tête aux pieds. Couper et limer tes ongles, prendre soin de tes cuticules et préserver la douceur de ta peau exige un certain investissement en temps. Par contre, si tu portes des sandales ou que tu prends la main d'un séduisant garçon, tu seras bien heureuse d'avoir fait cet effort.

Ne coupe pas les ongles des mains ou des pieds trop courts. Sinon, tu risques de te retrouver avec des ongles incarnés. La façon la plus jolie et la plus sécuritaire de te faire une manucure est de couper tes ongles à la longueur souhaitée à l'aide d'un coupe-ongles, puis de les limer en ovale à l'aide d'une lime émeri. Le côté le plus rugueux de la lime devrait être utilisé pour limer les ongles, et le côté le plus fin pour leur donner la forme souhaitée.

Se ronger les ongles est une très mauvaise habitude qu'il est difficile d'abandonner. Essaie d'appliquer sur tes ongles un des produits conçus pour te décourager de te ronger les ongles (par exemple un onguent qui a mauvais goût). Sois fière de tes mains. Leur proposer une manucure peut aussi t'aider à cesser de te ronger les ongles puisque tu ne voudras pas jeter tout ce beau travail par la fenêtre.

Pédicure
à faire soi-même

Pour avoir de beaux orteils, tu n'as qu'à utiliser un coupe-ongles pour ongles d'orteil afin de couper tes ongles bien droits. Ensuite, coupe les coins. Utilise finalement une lime émeri pour les limer. Évite de limer dans un mouvement de va-et-vient. Tu obtiendras de meilleurs résultats si tu limes dans un seul sens. Fais tremper tes pieds dans de l'eau chaude pendant une minute ou deux, puis re-pousse délicatement les cuticules. Applique un hydratant riche sur tes pieds et tes orteils (les lotions à la menthe poivrée sont géniales pour les pieds fatigués). Tu peux porter un vernis transparent pour créer une apparence toute naturelle, ou choisir une couleur plus vive pour ajouter une touche de féminité à tes orteils.

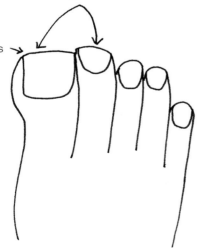

Coupe tes ongles droits ou légèrement arrondis

Coupe les coins mais pas trop près →

Épilation

Je décourage les filles de commencer trop tôt à se raser les jambes puisque dès que tu commences, les poils repoussent plus longs et plus épais. Si tu te ra-ses les jambes, tu dois probablement répéter l'opération tous les deux ou trois jours. Si tu n'aimes pas l'idée, tu peux essayer les crèmes dépilatoires ou l'épilation à la cire. L'avantage de l'épilation à la cire, surtout si tu adoptes ce type d'épila-tion avant de commen-cer à te raser, est qu'elle n'a pas à être répété très souvent (normalement tout les un à trois mois). Si tu choisis l'épilation à la cire, je te conseille de faire appel à une professionnelle. Si tu le fais toi-même, tu risques de souffrir inutilement. Aussi, essaie de ne pas te faire épiler juste avant ou pendant tes menstruations — ta peau est alors plus sensible et l'épilation sera plus souffrante.

Si tu souhaites éliminer des poils sur ton visage, *évite* à tout prix de les raser. Il est important de bien réfléchir avant d'entamer le processus d'élimination ou de décoloration des poils du visage. Je ne recommande ce procédé qu'aux filles dont les poils au-dessus de la lèvre supérieure sont foncés et donc visibles. La plu-part des femmes ont des poils sur le visage, mais dans la majorité des cas, ils sont fins et très difficiles à remar-quer. Dans ce cas là, il est préférable de s'y habituer. Si tu souhaites éliminer ou décolorer des poils du visage, il existe plusieurs produits efficaces et relativement doux. Lis très attentivement les instructions avant de procéder, en particulier lorsque tu utilises des produits pour l'élimi-nation ou la décoloration des poils du visage. Ensuite, nettoie ta peau tel que recommandé dans les instruc-tions du produit. Si les instructions ne parlent pas de nettoyage de la peau, évite de toucher à ta peau pen-dant quelques heures pour ne pas l'irriter davantage.

instruments et

La plupart des adolescentes manquent d'expérience avec le maquillage, et c'est bien normal. Tu peux apprendre beaucoup en regardant ta mère ou ta grande sœur se maquiller le matin. Mais même en observant religieusement, tu auras quand même plusieurs questions sur le **type** de maquillage à choisir, **comment** l'appliquer, **où** l'appliquer et avec **quels** instruments. Cette section te donne des réponses aux questions les plus fréquentes en ce qui concerne le maquillage. Elle fait également la lumière sur certaines erreurs parmi les plus courantes commises par les ados. Pour réussir de beaux maquillages, il faut expérimenter. Mais pour expérimenter comme il le faut, il te faut développer certaines aptitudes. Une fois que tu auras déterminé ce dont tu as besoin et où tu dois l'appliquer, tu seras prête à donner des conseils, même à ta mère ou à ta grande sœur.

techniques

Est-ce important d'avoir les **bons instruments ?**

Des doigts bien propres sont très pratiques pour appliquer du fard à joues en crème et du brillant à lèvres, mais pas vraiment pour appliquer le maquillage pour les yeux ou le fard à joues en poudre. Frotter des doigts sur du fard à paupières en poudre peut causer une pellicule huileuse (beurk) et rendre son utilisation plus difficile. Tu n'as pas besoin d'accessoires très chers pour te transformer, mais il y a des articles importants à avoir dans ta trousse qui te faciliteront beaucoup la vie. Quelques applicateurs et de bons

pinceaux, une éponge pour l'application de la base, une houppette à poudre en coton, des applicateurs pour le fard à paupières et des cotons-tiges pour essuyer les petites bavures, et te voilà fin prête.

Si tu as déjà plusieurs applicateurs et/ou pinceaux, nettoie-les régulièrement. Lave-les dans une eau chaude savonneuse (la plus chaude que tu peux supporter), rince-les bien, fais-les tremper dans l'alcool et comprime-les doucement en leur redonnant leur forme (ne frotte pas leurs têtes sur une serviette sinon tu les déformeras). Laisse-les ensuite sécher à l'air libre (au soleil, si possible). L'utilisation de pinceaux propres est d'autant plus importante si tu as des points noirs et des boutons puisque les pinceaux sales recueillent et diffusent l'huile et la saleté.

Fabrique-toi une trousse de voyage personnalisée composée des pinceaux et applicateurs que tu utilises le plus. Les pinceaux et autres accessoires de maquillage en tissu sont idéaux puisque tu peux les laver facilement lorsqu'ils deviennent sales, mais aussi parce que tu peux les personnaliser avec des marqueurs et des décorations fixées à l'aide de colle à tissu.

Plutôt que de te précipiter pour acheter un nouvel ensemble de pinceaux qui semble bien intéressant au magasin mais qui n'est somme toute pas si pratique, je te conseille de rassembler toi-même ta collection de pinceaux selon tes besoins. Les bons pinceaux fermes se lavent bien sans perdre leurs soies. Ils dureront plus longtemps et rendront l'application du maquillage plus facile. Voici comment tester un pinceau pour savoir s'il est de qualité : frotte-le sur le dos de ta main. La tête du pinceau devrait reprendre sa forme rapidement, mais ne devrait pas sembler rugueuse ou irritante pour la peau.

Est-ce que j'ai besoin de **cache-cernes,** et quand devrais-je appliquer une **base ?**

Si ta peau est lumineuse et uniforme, tu n'as pas besoin de base et de cache-cernes chaque jour. Garde-les pour les occasions spéciales, afin d'obtenir un look plus raffiné. Les yeux creux sont souvent entourés d'un halo. Dans des circonstances normales, cela peut être très attrayant et donner une apparence de grandeur aux yeux. Mais lorsque ce halo devient plus sombre et qu'il est accentué par le manque de sommeil, tu peux appliquer un peu de cache-cernes sous les yeux, dans les coins intérieurs, afin de l'atténuer.

Utilise le bout de ton doigt ou un pinceau à soies synthétiques pour appliquer un peu de cache-cernes là où tu en as besoin (l'esquisse de droite illustre à quels endroits l'appliquer par petits points). Un pinceau synthétique est préférable puisqu'il est plus plat et permet d'appliquer le cache-cernes plus uniformément. Ce type de pinceau est également pratique pour appliquer du cache-cernes sur les boutons.

Dois-je porter une base pour cacher mes **boutons ?**

Inutile de porter une base pour cacher les boutons. Une crème de camouflage médicamenteuse appliquée directement sur le bouton fera l'affaire. Tapote le produit directement sur le bouton mais pas autour du bouton pour éviter d'assécher ta peau. L'application d'une crème de camouflage sur les rougeurs et les boutons n'agravera pas nécessairement l'état de ta peau. Par contre, si cela t'évite d'y toucher, tu risques même d'améliorer l'état de ta peau. Il n'y a rien de pire que de toucher à tes boutons ! Si tu utilises une crème de camouflage, médicamenteuse ou non, il est essentiel de bien nettoyer ton visage et de bien enlever tout le produit avant d'aller au lit.

Le pinceau ci-dessus est idéal pour appliquer du cache-cernes sous les yeux afin de masquer les cernes foncés. Les soies sont synthétiques. Ce pinceau peut donc mélanger uniformément les produits huileux et mouillés tout en demeurant bien plat.

Comment appliquer la **base ?**

La base devrait être réservée aux pour les occasions spéciales. Essaie-la sur la peau du revers de ton bras afin de déterminer si elle s'agence bien à la teinte de ta peau avant d'en faire l'achat. Tu peux l'appliquer avec tes doigts (s'ils sont bien propres) ou utiliser une éponge, ou encore un pinceau synthétique large et plat comme celui qui est illustré à droite. Humecte l'éponge avant d'appliquer la base afin d'obtenir une fine couche.

Applique la base en petits points tout le long de la portion centrale de ton visage, puis étends-la légèrement vers l'extérieur avec le bout de tes doigts ou un pinceau.

À quoi sert la **poudre** et est-ce que j'en ai besoin ?

Tu n'as besoin de poudre sur ta base que si tu souhaites que ton maquillage tienne bien ou si tu recherches un look mat et sophistiqué. Tu peux aussi tamponner de la poudre libre ou compacte *sans* base pour obtenir un fini mat. Si tu portes une base, assure-toi que la couleur de la poudre n'est pas plus foncée que la couleur de la base ; sinon tu obtiendras un look inégal. Si ta peau est pâle, choisis une poudre translucide qui donnera à ton visage un fini délicat. Une peau plus foncée aura besoin d'une couleur qui s'apparente davantage à la teinte de la peau. Si ta peau a une nuance de fond jaunâtre, utilise des teintes de poudre jaunâtres. Si tu souhaites éclaircir ta peau, choisis plutôt une poudre couleur de pêche.

  Pour l'application de la poudre, un pinceau large et doux est préférable. Ce pinceau fait partie des « must » du maquillage. Il est idéal pour éliminer les cheveux dans le visage lorsque tu coupes ta frange.

Comment utiliser la **poudre chatoyante** et le **brillant ?**

Les poudres chatoyantes sont magnifiques sur des épaules et des bras nus. Mais elles peuvent aussi servir à attirer l'attention sur certaines parties de ton visage. Elles sont jolies lorsqu'elle sont « saupoudrées » sur l'ensemble de ton visage. Toutefois, à moins d'avoir une peau limpide et parfaite, tu devrais éviter de trop en porter. Choisis plutôt d'en appliquer sur tes pommettes.

  Les poudres chatoyantes dorées ou bronze sont plus jolies sur les teintes de peau plus foncées. Les poudres chatoyantes opalescentes (les plus pâles qui brillent et scintillent), les dorées pâles et les perlées sont aussi jolies sur les peaux claires ou foncées. L'argent et l'or te conféreront une apparence de déesse pour une occasion spéciale. Pour les appliquer plus rapidement et solidement, utilise un pinceau mouillé.

  Avant d'appliquer une crème ou un fard chatoyant, fais un essai sur ton bras pour déterminer à quel point l'effet chatoyant du produit est doux ou imposant, afin de ne pas trop en appliquer sur ton visage. Il en va de même pour les brillants — garde-les pour les portions de ton visage sur lesquelles tu souhaites attirer l'attention, par exemple tes pommettes ou tes sourcils, ou encore en appliques-en une touche ou deux en guise de décoration, comme nous l'avons fait pour Katrina (page 70).

Comment appliquer le **fard à joues**

La façon d'appliquer le fard à joues dépend du look que tu souhaites créer. Pour obtenir une apparence de fraîcheur, comme celle de Daisy à gauche, applique une goutte de fard à joues en crème sur tes pommettes et mélange avec le bout de tes doigts.

Pour que ton visage semble davantage angulaire, comme celui d'Emma, applique le fard à joues sur la portion inférieure de tes pommettes et vers le bas du nez.

Il est facile de mélanger crèmes et teintes sur une peau propre avec le bout de tes doigts ; leur consistance donne une apparence de fraîcheur et ajoutent une brillance naturelle.

Pour obtenir un look plus sophistiqué et rehausser tes pommettes, comme c'est le cas de Liz ci-dessus, tu dois appliquer le fard à joues directement sur la pommette et l'étendre vers le nez.

Comment dois-je épiler mes **sourcils ?**

Il suffit de « nettoyer » tes sourcils. Tu ne dois pas trop les épiler. Plus tu épiles, plus tu devras entretenir tes sourcils. Pour avoir de jolis sourcils, voici quoi faire : enlève les poils entre tes sourcils ainsi que ceux des coins extérieurs des sourcils. Désinfecte toujours ta pince avant de l'utiliser en la trempant dans de l'alcool à friction.

Je ne te recommande pas d'épiler le dessus de tes sourcils, car tu aurais une apparence artificielle. Si tu souhaites épiler tes sourcils à la cire, tu dois être bien certaine de la forme souhaitée. Tente d'éviter de former des sourcils très arqués qui te donneraient une apparence surprise en tout temps. L'avantage de l'épilation à la pince est qu'elle se fait un poil à la fois. Donc, si tu décides d'amincir davantage tes sourcils ou de créer une forme plus définie, tu n'as qu'a poursuivre. Lorsque tu épiles, tente de créer la forme petit à petit. Tu éviteras ainsi les erreurs visibles.

Étire la peau autour des poils à l'aide d'une main. De l'autre main, tiens la pince et fais glisser la pointe sous le poil. Saisis le poil fermement et tire dans le sens de la pousse du poil (vers le haut et vers l'extérieur).

Que dois-je utiliser pour appliquer **du fard à paupières ?**

Les applicateurs à embout éponge sont très efficaces. Lorsque tu utilises un embout éponge pour appliquer une couleur, utilises-en un autre pour appliquer une nouvelle couleur, sinon tu abîmerais ton maquillage. Tu peux facilement utiliser un côté de l'applicateur pour une couleur et l'autre côté pour l'autre couleur. Les embouts éponges sont très pratiques pour appliquer le fard à paupières perlé libre puisqu'ils retiennent bien la poudre et que tu peux ensuite l'appliquer sur ta paupière avant de mélanger. Utilise la pointe de l'applicateur pour appliquer le fard à paupières dans le coin intérieur de ta paupière ou pour souligner tes paupières.

Un petit pinceau ferme comme le bleu illustré ci-dessus est parfait pour les petites zones des paupières, par exemple à la base des cils ou dans le pli de l'œil. Il est également pratique pour appliquer des touches de fard à paupières (de couleur plus pâle ou lumineuse que le fard à paupières de base) à certains endroits. Utilise un pinceau plus large (comme le pinceau pêche ci-dessus) pour recouvrir la paupière de fard — une couleur pâle rendra tes yeux plus brillants alors qu'un fard foncé te donnera un regard plus théâtral.

à propos
DU TRACEUR POUR LES YEUX

Les teintes foncées mates de fard à paupières n'ont pas de brillant ; elles donnent cependant de la profondeur aux yeux. Les teintes irisées pâlissent et illuminent les paupières. Les teintes irisées foncées peuvent aussi ajouter de la profondeur au regard si elles se trouvent autour des yeux avec une teinte pâle sur l'arcade sourcillière. Porter une teinte plus pâle dans les coins intérieurs de tes yeux donnera l'impression qu'ils sont plus éloignés qu'en réalité, ce qui est utile si ton visage est étroit.

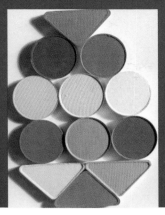

Devrais-je utiliser un crayon, de la poudre ou **traceur liquide** ?

Si tu souhaites obtenir un effet doux, utilise de la poudre. Si tu souhaites donner de la profondeur à ton regard, utilise un crayon pour les yeux. Tu peux tracer la ligne de couleur à la base de tes cils et rendre ton regard plus pénétrant, ou tu peux utiliser le traceur sur le bord intérieur des yeux pour créer un look très intense. Un traceur liquide donnera un look encore plus sophistiqué à tes yeux.

Si tu as une paupière petite mais lourde (comme Skye, notre mannequin ci-dessous), utilise le traceur en dessous *et* à l'intérieur des yeux pour les renforcer. N'utilise pas de couleurs pâles sur tes paupières puisque cela ne ferait que causer une distraction.

Comment appliquer le **traceur pour les yeux** ?

Pour appliquer le traceur, commence dans le coin extérieur de l'œil. Il est normalement préférable que la ligne soit plus large à cet endroit. Garde la paupière fermée avec ton index de la main opposée et tire délicatement sur le coin extérieur pour éviter que la paupière soit plissée. Dessine ensuite une ligne aussi fine que possible à la base des cils (fais une ligne un peu plus large si tes cils sont blonds), en partant du coin extérieur vers l'intérieur. La ligne devrait être plus large sur le coin extérieur et devenir plus mince au niveau de la pupille et vers le coin intérieur de l'œil.

Pour appliquer du traceur en poudre, utilise un petit pinceau à traceur (comme le pinceau vert de la photo de gauche) et une teinte foncée de fard en poudre pour les yeux. Trempe le bout des soies dans la poudre pour t'assurer qu'elles s'imbibent bien de couleur. Tamponne l'extrémité des soies le long de la ligne des cils, encore une fois du coin extérieur vers l'intérieur. Trempe de nouveau le pinceau si tu manques de couleur. Pour obtenir une apparence plus définie, mouille légèrement les soies et utilise un traceur plutôt que de la poudre.

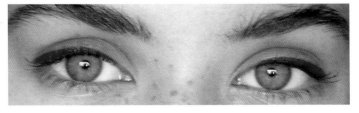

Quel type de **mascara** devrais-je utiliser ?

Un mascara qui n'est pas imperméable convient bien d'un usage quotidien. Le mascara imperméable est idéal pour les journées à la plage, les mariages et toutes les occasions où il est important qu'il dure, peu importe la météo ou les larmes. Le brun est le mascara dont l'apparence est la plus naturelle pour la plupart des couleurs de peau et de cheveux (à moins que tu sois très foncée), mais cela ne veut pas dire que c'est ce qu'il y a de mieux. Tu préfères peut-être faire ressortir tes yeux en portant du mascara noir qui fait carrément l'effet d'une bombe sur tes cils, peu importe ta couleur. Le mascara noir est également un must si tu portes du crayon noir pour les yeux. Les couleurs de mascara, par exemple le vert et le bleu, sont amusantes, et elles peuvent donner un look doux et très joli à tes yeux. Le mascara blanc a un look unique et très spécial si tu portes un fard à paupières pâle d'une teinte neutre ou blanche ; il pâlira aussi tes mascaras de couleur si tu l'appliques en premier.

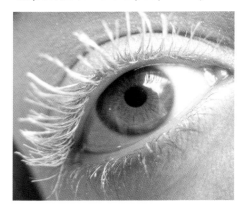

Quand devrais-je utiliser un **recourbe-cils ?**

Si tu choisis d'utiliser un recourbe-cils, tu dois l'utiliser avant d'appliquer ton mascara. Ouvre les mâchoires du recourbe-cils et positionne-le juste devant la base de tes cils. Referme délicatement le recourbe-cils et serre bien ; maintiens-le en position en comptant jusqu'à cinq. Puis relâche. N'oublies pas de l'ouvrir *avant* de l'éloigner de ton œil.

Que dire des **faux-cils ?**

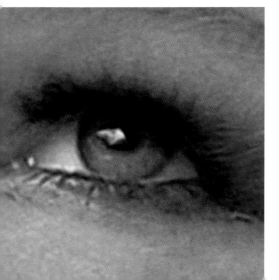

Oui, exactement ! Que dire des faux-cils ? Bon, ils sont amusants, sont offerts en plusieurs couleurs et formes, et sont plus faciles à retirer que les brillants. Les faux-cils colorés peuvent transformer un maquillage bien ordinaire en quelque chose de spécial. Termine d'abord le maquillage de tes yeux, puis applique-les à la toute fin, ce sera beaucoup plus facile. Applique délicatement la colle pour cils (cette colle est vendue avec les faux-cils et est sécuritaire ; n'en utilise pas une autre) à la base de la languette de cils (jamais directement sur tes yeux) et laisse-la agir quelques secondes. Ensuite, saisis-les avec ta pince ou le bout de tes doigts puis applique-les doucement à la base de tes cils pour que les extrémités soient recourbées vers tes sourcils. Appuie jusqu'à ce qu'ils soient fixés fermement.

Des cils turquoise peuvent transformer un maquillage monotone en une expérience hors du COMMUN ?

Comment appliquer de la **couleur sur mes lèvres ?**

Si tu souhaites porter un rouge à lèvres d'une teinte froide et brillante, utilise un pinceau à lèvres qui te permettra de répartir uniformément la couleur. Applique d'abord le rouge à lèvres (avec ton doigt ou avec le bâton de rouge à lèvres), puis utilise le pinceau à lèvres pour bien étendre la couleur jusqu'au rebord des lèvres, afin d'obtenir un aspect plus voluptueux.

Les brillants à lèvres et les colorants pour les lèvres sont faciles à porter. Tu n'as qu'à les appliquer à l'aide du bâtonnet fourni ou de tes doigts. Les brillants à lèvres transparents sont scintillants, doux et d'apparence naturelle. Les brillants aux teintes foncées donnent une apparence plus appétissante. Les teintes à lèvres (ou rouge à lèvres à longue tenue) sont un bon choix si tu n'aimes pas avoir les lèvres brillantes.

Les teintes donnent un peu plus de couleur aux lèvres, mais ne sont pas aussi lourdes qu'un rouge à lèvres. Tu peux aussi obtenir le look d'une teinte à lèvres en frottant légèrement ton doigt sur un rouge à lèvres et en l'appliquant doucement sur tes lèvres.

De quelle façon les **appareils orthodontiques** peuvent-ils affecter mon choix de couleur pour les lèvres **?**

Les couleurs de lèvres vives peuvent se marier de façon amusante avec les appareils orthodontiques. Par contre, il est toujours préférable de ne pas attirer toute l'attention sur tes lèvres ; choisi plutôt un brillant ou un rouge à lèvres doux et évite ce qui est très brillant ou givré.

utiliser les

La **couleur** est un élément magique, un moyen simple de **mettre en valeur** les caractéristiques de ton visage et d'exprimer tes humeurs. Une touche de couleur sur les yeux, sur les lèvres ou sur les joues peut donner une énergie toute nouvelle à ta journée, te détendre ou de rendre plus joyeuse. Une fois que tu as compris les théories simples qui régissent les agencements de couleurs (que tu connais peut-être déjà grâce à tes cours d'arts plastiques à l'école), tu peux organiser tes couleurs de maquillage et les **agencer** afin d'obtenir différents effets. Tu pourras aussi **adapter** plusieurs styles de maquillage présentés dans ce livre à ta coloration. Le monde n'est pas en noir et blanc. N'hésite donc pas à t'exprimer **en couleurs** !

couleurs

Mélanger les **couleurs**

Les trois couleurs **primaires,** soit le bleu, le rouge et le jaune (aussi appelées cyan, magenta et jaune) sont des couleurs pures qui ne peuvent être créées en mélangeant d'autres couleurs. C'est pourquoi on les appelle couleurs primaires.

À gauche, tu peux voir du maquillage reprenant ces couleurs primaires : du rouge à lèvres rouge, du brillant à lèvres jaune et du fard à paupières bleu.

Les couleurs **secondaires,** soir l'orange, le vert et le violet, sont créées en mélangeant les couleurs primaires. Par exemple :

jaune + bleu = vert
rouge + jaune = orange
rouge + bleu = violet.

À droite, tu peux observer du maquillage dans des couleurs secondaires : du rouge à lèvres orange, du fard à joues violet et du fard à paupières vert.

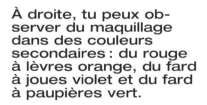

En effectuant des mélanges, tu peux obtenir plusieurs autres teintes de couleurs secondaires. En ajoutant davantage d'une couleur primaire à un mélange et pas au suivant, tu obtiendras une **teinte** plus foncée de la principale couleur (par exemple, un peu de jaune avec beaucoup de bleu donnera un vert bleuté).

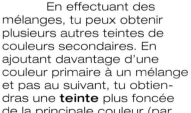

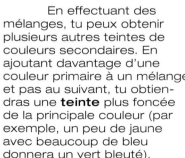

Crée une teinte **pastel** de fard ou de rouge à lèvres en commençant avec un fard ou un rouge

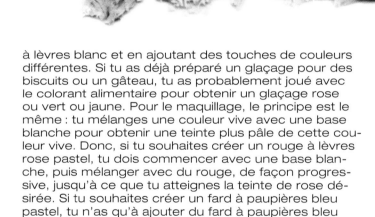

à lèvres blanc et en ajoutant des touches de couleurs différentes. Si tu as déjà préparé un glaçage pour des biscuits ou un gâteau, tu as probablement joué avec le colorant alimentaire pour obtenir un glaçage rose ou vert ou jaune. Pour le maquillage, le principe est le même : tu mélanges une couleur vive avec une base blanche pour obtenir une teinte plus pâle de cette couleur vive. Donc, si tu souhaites créer un rouge à lèvres rose pastel, tu dois commencer avec une base blanche, puis mélanger avec du rouge, de façon progressive, jusqu'à ce que tu atteignes la teinte de rose désirée. Si tu souhaites créer un fard à paupières bleu pastel, tu n'as qu'à ajouter du fard à paupières bleu foncé à un fard blanc.

Tu peux créer des teintes **douces** en ajoutant du noir à une couleur. Si tu souhaites créer un rouge à lèvres rouge doux, tu peux ajouter du noir jusqu'à ce que la teinte devienne moins vive. Voici quelques possibilités supplémentaires :

noir + jaune = kaki
noir + bleu = bleu-gris
noir + rouge = rouge terreux.

Mélange les couleurs très progressivement : il est facile d'en ajouter, mais si tu en ajoutes trop, tu devras alors ajouter du blanc et c'est là que les choses se compliquent.

Harmonie *et* **contraste**

Les **couleurs chaudes** sont dans la famille des jaunes, orange et rouges. Les **couleurs froides** sont dans la famille des bleus, violets et verts. Bien sûr, il s'agit d'une explication simple d'un concept plutôt complexe. Il existe de très nombreuses teintes de couleur et certaines sont beaucoup plus froides ou beaucoup plus chaudes que d'autres. À la base, lorsque nous affirmons qu'une couleur est chaude, c'est parce qu'elle contient des teintes de jaune, d'orange ou de rouge. Et lorsque nous qualifions une couleur de froide, c'est parce qu'elle contient des teintes de violet, de bleu ou de vert.

Un maquillage **harmonisé** est composé uniquement de couleurs froides ou de couleurs chaudes.

Une harmonie **monochrome** est un maquillage qui n'utilise que des teintes d'une même couleur, par exemple un fard à paupières brun, un fard à joues brun et un rouge à lèvres brun.

Tu peux ajouter un accent à un maquillage monochrome grâce à une touche de couleur **contrastante.** Tu peux par exemple ajouter un accent de couleur chaude, par exemple un rose pâle, pour créer un contraste avec une couleur froide, comme le lilas. Ou tu peux ajouter une couleur froide, par exemple un vert émeraude pâle, pour créer un contraste avec une couleur chaude comme le bronze. Un maquillage contrastant se compose d'une couleur chaude sur une portion du visage et d'une teinte plus froide sur une autre portion du visage.

Couleurs froides   **Couleurs chaudes**

À gauche, Alex porte un maquillage harmonisé : un crayon bleu sur les yeux et un rouge à lèvres rose froid.

À droite, Alex porte un maquillage contrastant : un rouge à lèvres orange chaud et un crayon bleu froid sur les yeux.

Voici Esra qui porte un maquillage en harmonie monochrome : fard à joues rose, rouge à lèvres rose et fard à joues rose.

Remarque à quel point les lèvres et les yeux de Natalie ressortent sur cette photo. C'est parce que les couleurs chaudes de ses yeux font contraste avec les couleurs froides de ses lèvres et les accentuent.

Pour inspirer l'artiste

Utilise tes yeux et ton imagination pour découvrir des mélanges de couleurs. Les magazines de mode constituent un très bon départ, mais tu peux aussi t'inspirer de différentes formes d'art. Feuillette des livres d'art, visitedes musées et porte une attention particulière aux combinaisons de couleurs utilisées dans les peintures. Tu verras à quel point Picasso ou Monet peut t'inspirer pour essayer différentes combinaisons de couleurs sur ton visage.

Voici un autre moyen de faire exploser ton imagination. J'ai conçu une peinture à l'aide de quatre thématiques de couleur sur mon ordinateur. J'ai également imprimé une copie noir et blanc de cette peinture. Photocopie la peinture noir et blanc (fais-en plusieurs copies) et utilise les couleurs de maquillage inspirées par les différentes peintures de la page 39 pour les colorer. Observe les couleurs de chaque peinture et regarde si tu peux créer un look de maquillage « prêt-à-porter » grâce à des teintes et à combinaisons de ces couleurs. Tu n'as pas besoin de te limiter aux thématiques de couleur des peintures ; tu peux créer tes propres palettes et découvrir les combinaisons qui te plaisent le plus.

en toi

trouver les TEINTES qui te vont le mieux

Je t'encourage à faire des expériences avec les couleurs, et je crois que si tu trouves joli le mélange que tu as créé, tu devrais l'essayer. Par contre, si tu préfères expérimenter avec des balises, voici des combinaisons à l'épreuve de toute erreur.

✳ Si tu es rousse, porte du fard à paupières d'un brun ou d'un vert chaud, et un rouge à lèvres beige, brique ou corail. Les beautés aux cheveux châtains seront à leur meilleur avec un fard à paupières violet, en particulier si elles ont les yeux verts. (Avec du maquillage violet sur les yeux, choisis un rose discret pour tes lèvres.)

✳ Si tu es une blonde à la peau pas trop pâle, accentue ta délicatesse avec des fards à paupières blancs, perlés, lilas ou bleu pâle ; puis choisis des roses pâles perlés ou plus foncés pour tes lèvres.

✳ Si tes cheveux sont blond foncé ou brun pâle, évite les couleurs trop vives et opte plutôt pour un look plus « enfumé » ; choisis des bruns froids pour les yeux et des teintes de bleu et de vert ternes avec des touches vives, et porte des brillants à lèvres doux.

✳ Si tu es une brune à la peau pâle avec les yeux bleus ou brun foncé, essaie le fard à paupières violet et choisis des roses froids pour tes lèvres et tes joues. Le fard et le traceur gris charbon et noir ajouteront une touche théâtrale à ton regard.

✳ J'aime utiliser les fards à paupières vert olive et or sur les peaux olive pour les souligner naturellement, mais si tu es de nature extravertie et que tu préfères un look plus théâtral, choisis des couleurs de fard à paupières plus froides comme bleu minuit, violet ou rose.

✳ Les peaux très foncées avec une nuance de fond rouge auront du succès avec des fards à paupières et des rouges à lèvres bronze et cuivre; alors que les peaux noires foncées seront adorables avec des paupières argent ou bleues et des couleurs douces sur les lèvres.

✳ Le fard à paupières ivoire et or rehausse l'apparence des magnifiques peaux crème asiatiques de façon très naturelle.

MAQUILLAGE
TRANSFORMATIONS

Ton style personnel est-il **classique**, **cool**, doux, sportif, rétro, **glamour** ou même extravagant ? Aimerais-tu pouvoir modifier ton look selon tes humeurs ? Que tu ouvres les yeux le matin en te sentant comme un grande star du cinéma, la prochaine Sofia Coppola, une athlète olympique ou une vedette rock, tu trouveras dans cette section une foule de conseils de maquillage qui t'aideront à exprimer tout ce que tu peux devenir.

class

Un look classique est toujours équilibré et bien poli.

Il est parfait pour les photos de remise de diplômes,

une présentation devant ta classe, rencontrer les pa-

rents de ton copain ou visiter un collège qui t'intéresse.

Classique signifie élégant, pas désordonné. Le clas-

sique est toujours de mise, jamais tendance. Le clas-

sique est un gage de bon goût à 100 % et n'est jamais

provocant. Dans un maquillage classique, toutes

que

les caractéristiques du visage ont une intensité relativement égale et sont définies très subtilement. Ses couleurs
sont le plus souvent harmonieuses, et si la couleur des
yeux est vive, elle est appliquée avec délicatesse sur la
portion de la paupière la plus proche de l'œil. Le maquillage **classique** est toujours sobre, mais suscite toujours
des « wow » ! Tu n'auras pas à hurler pour être remar-
quée... tu n'auras qu'à sourire.

classique SUZANNE

Suzanne porte une base et une poudre. Sur les paupières, elle porte un fard à paupières lilas **opalescent** fondu jusqu'aux sourcils. Un fard à paupières brun avec une nuance de fond dorée est fondu sous les yeux, à la base des cils, afin de définir et d'**agrandir** ses grands yeux bleus. J'ai choisi cette couleur parce qu'elle ne distrait pas le regard et qu'elle s'**harmonise** avec ses cheveux blonds dorés. Si ta peau est plus foncée et colorée, tu peux utiliser une teinte plus foncée de fard à paupières sous l'œil (pas noire parce que ce serait trop dur). Suzanne porte un mascara brun et ses sourcils ont été **définis** à l'aide de deux couleurs de crayon pour sourcils : blond et taupe.

Elle porte un rouge à lèvres orange brûlé pâle appliqué à l'aide d'un pinceau à lèvres pour plus de précision, et une teinte de fard à joues qui s'**harmonise** bien avec ses lèvres.

Visage Base et poudre.
Yeux Fard lilas, fard brun-doré, mascara brun, et crayons pour sourcils blond et taupe.
Joues Fard à joues orange brûlé pâle.
Lèvres Rouge à lèvres orange brûlé pâle.

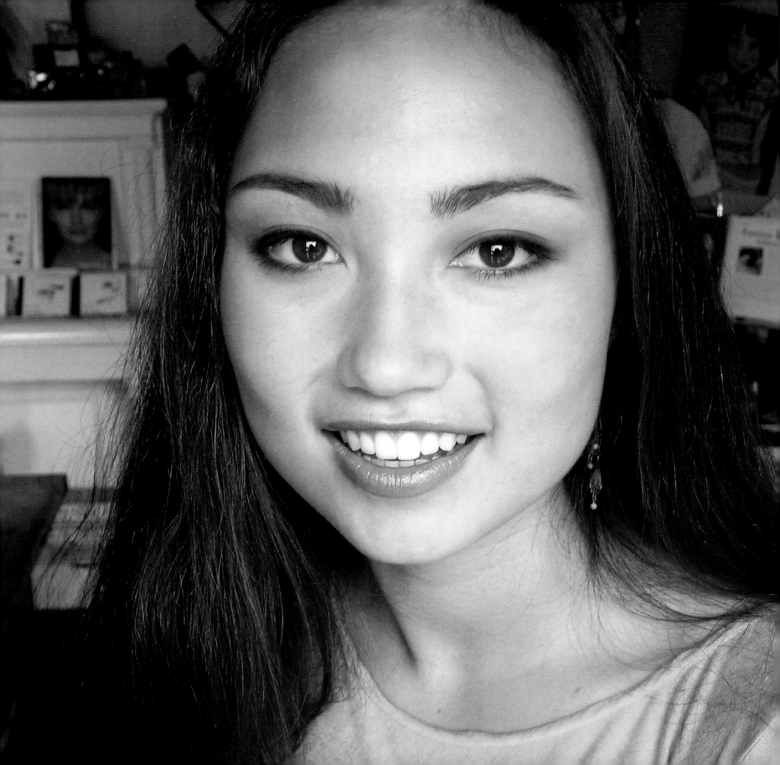

classique Katrina

Voici un maquillage **classique** standard : la teinte la plus foncée de fard à paupières est appliquée juste au-dessus du pli de la paupière, alors que la teinte la plus pâle est appliquée sous les sourcils. La couleur des lèvres de Katrina s'**harmonise** avec la couleur de son chemisier... un autre détail **classique** !

Katrina porte une base, du cache-cernes et de la poudre sur sa peau.

Ses yeux sont légèrement ombrés d'un brun **doux** sur les paupières, et sont surlignés sous les sourcils grâce à un **délicat** fard ivoire. Un peu de fard brun est fondu sous l'œil, dans le coin extérieur, et les cils supérieurs sont surlignés d'une **fine** ligne de crayon brun foncé pour les yeux.

Elle porte du mascara noir et un rouge à lèvres rose **tendre**.

Ses joues sont **soulignées** grâce à un fard à joues en poudre **harmonisé** qui est appliqué sur la portion supérieure des pommettes, en descendant vers le centre de celles-ci. Les couleurs des lèvres, des joues et du chemisier s'harmonisent. Et parce que les couleurs de maquillage ont été utilisées de façon délicate, rien n'est exagéré.

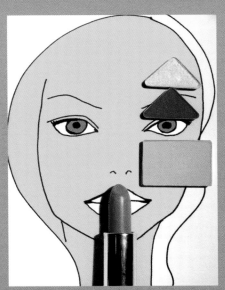

Visage Base, cache-cernes et poudre.
Yeux Fard à paupières brun pâle, fard à paupières ivoire pour souligner, traceur brun foncé pour les yeux et mascara noir.
Joues Fard à joues rose pâle.
Lèvres Rouge à lèvres rose pâle qui s'harmonise avec le fard à joues.

classique Daisy

Si tes yeux sont bleus et que leur couleur a tendance à changer selon ce que tu portes, ce maquillage pour les yeux donnera l'impression qu'ils sont plus verts. Il peut aussi éclaircir les yeux foncés. Tu peux porter les couleurs illustrées ici sur Daisy ou choisir une couleur qui s'**agence à la couleur** avec tes yeux. Bien des gens ont une touche d'une ou de plusieurs autres couleurs dans les yeux ; regarde attentivement et utilise cette couleur.
Ce peut être du doré, du roux ou du vert.

Daisy porte une base beige pâle **légère** avec un peu de poudre et une touche de fard à joues crème d'une teinte chaude.

Nous avons appliqué un saupoudrage de fard à paupières turquoise **tendre** jusqu'au pli des paupières de Daisy, et nous avons tracé une ligne de crayon bleu à la base de ses cils. La ligne est plus fine sur les coins intérieurs des yeux et est plus épaisse vers les coins extérieurs afin de **mettre l'accent** sur la forme en amande de ses yeux. Son mascara noir est appliqué très légèrement.

Visage Base légère, une touche de poudre.
Yeux Fard à paupières turquoise tendre, crayon traceur bleu et mascara noir.
Joues Fard à joues crème d'une teinte chaude.
Lèvres Brillant à lèvres rose pâle.

classique Jessica

Mon élève, Nikki a commencé à maquiller Jessica en appliquant une base aussi proche que possible de la teinte de couleur **naturelle** de la peau de Jessica afin de l'uniformiser.

Ensuite, elle a appliqué un peu de fard à joues en crème de couleur rouge-orangé chaud sur ses pommettes pour leur donner une **brillance** naturelle.

Les yeux de Jessica sont surlignés avec un crayon noir appliqué sur le rebord intérieur de la paupière. Un fard brun foncé est nuancé sur les paupières. Ensuite, nous surlignons les paupières au centre à l'aide d'un fard taupe qui **miroite** légèrement.

Nous appliquons ensuite une touche de fard à joues roux (couleur **chaude**) soit la même couleur que sur Daisy sur les coins extérieurs des yeux de Jessica, sous les sourcils.

Jessica porte, sur les lèvres, un brillant brun **doux.**

Visage Base.
Yeux Crayon noir pour les yeux, fard à paupières brun foncé, poudre chatoyante taupe et fard à joues rouge-orangé chaud.
Joues Fard à joues en crème rouge-orangé chaud.
Lèvres Brillant à lèvres brun doux.

classique SARAH

Sarah porte une base liquide, un fard à joues en crème tanné **doux** (brun pâle sablonneux) et une poudre. Ses sourcils ont été brossés pour éliminer la poudre qu'ils contenaient.

Un fard à paupières abricot a été fondu de la base des yeux, très proche des cils, jusqu'aux sourcils. Si tu n'as même pas l'ombre d'une touche de rouge dans tes cheveux, remplace l'abricot par un fard taupe. Un peu de fard à paupières en poudre brun foncé appliqué dans le tiers extérieur de l'œil est fondu vers le haut, sans dépasser le pli de la paupière, afin d'**ouvrir** les yeux. Nous avons utilisé du mascara brun pour donner aux yeux une touche de finition et **renforcer** les cils blonds de Sarah.

Nous avons appliqué un brillant sur ses lèvres, puis nous avons **accentué** leur belle forme en les **définissant légèrement** à l'aide d'un rouge à lèvres brique.

Visage Base liquide et poudre.
Yeux Fard à paupières abricot, fard à paupières brun foncé et mascara brun.
Joues Fard à joues en crème brun pâle doux.
Lèvres Rouge à lèvres brique.

classique TaNIa

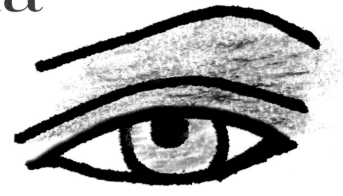

Le maquillage de Tania est une chaude **harmonie** de bruns-rouges doux.

Un peu de cache-cernes a été appliqué sous ses yeux et nous avons utilisé du fard à joues tanné sur ses joues.

Sur ses yeux, un fard à paupières rouge-brun **doux** a été appliqué à la base des cils, tout en dégradé vers les sourcils pour donner une **brillance** naturelle à ses paupières. Le pli des paupières a été accentué avec une touche de fard à paupières brun plus foncé. Celui-ci a également été utilisé pour **légèrement définir** les cils dans les coins extérieurs des yeux, en haut et en bas. Le fard le plus pâle est appliqué de la paupière au sourcil, alors que la teinte la plus foncée est appliquée dans le pli, ainsi que dans les coins extérieurs des yeux, en haut et en bas.

Un brillant rose-corail **chaud** a été utilisé sur ses lèvres.

Visage Cache-cernes.
Yeux Fard à paupières rouge-brun doux, fard à paupières brun plus foncé.
Joues Fard à joues en poudre tanné.
Lèvres Brillant à lèvres rose-corail.

cool

Être cool, c'est être en confiance et être sûre de soi.

Cool est remarquable, pas ordinaire. C'est audacieux, pas

ennuyant. C'est unique, pas du plagiat. Tu peux réaliser

un maquillage cool en utilisant un seul produit spécial,

mais dans une gamme d'attitudes ! Tu peux porter un look

cool en toute occasion si tu souhaites attirer l'attention.

Un maquillage cool est souvent très simple : tu n'as pas

besoin de base, de cache-cernes ni de poudre. Un joli

fard à paupières argent métallique en crème ou en poudre fera très bien l'affaire : fonds-le à partir de la base de tes cils jusqu'à tes sourcils en un mouvement large. Une couleur vive seule sur les yeux peut être **cool**. Mais tu peux aussi la porter avec une couleur de brillant à lèvres inusitée ou de rouge à lèvres contrastant. Observe les photos des filles dans cette section et puises-y ton inspiration afin d'explorer la Gwen Stefani ou la Avril LaVigne qui sommeille en toi.

coolSUZANNE

Une petite quantité de **couleur** en pointillé au-dessus et au-dessous des pupilles est un moyen efficace de les **accentuer** et d'avoir un look **cool**. Essaie le violet ou le vert pour les yeux verts, le jaune pour les yeux ambre et le bleu pour les yeux violets ou bruns. Tu peux porter le maquillage pour les yeux seul ou l'ajouter à un maquillage plus classique afin de lui donner une petite **tendance** écla-tée. Si tu utilises une couleur en crème pour les yeux, tu peux y ajouter un peu de brillant afin d'attirer davantage l'**attention**.

Suzanne porte une base et une poudre, ses sourcils sont légèrement définis et elle porte un rouge à lèvres brun.

Visage Base et poudre.
Yeux Fard bleu au-dessus et fard gris sous les pupille crayon à sourcils brun pâle
Lèvres Rouge à lèvres brun.

cool**KATRINA**

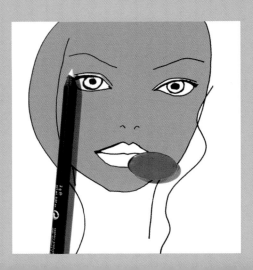

Yeux Traceur blanc pour les yeux.
Lèvres Rouge à lèvres rouge vif.

Katrina avait l'habitude de se maquiller selon un look plus innocent et plus doux, et n'avait jamais essayé ce type de maquillage auparavant (elle disait même qu'elle n'y avait jamais pensé !). Nous avons donc **transformé** Katrina grâce à quelques étapes faciles et rapides.

Nous avons utilisé un crayon blanc pour les yeux et un rouge à lèvres rouge **vif** : si tu essaies cela, veille à utiliser le rouge uniquement pour **teinter** tes lèvres, et non pour les recouvrir d'une épaisse couche. Si tes lèvres sont recouvertes d'une couche de rouge trop épaisse, le look sera trop fort et déséquilibré, et la couleur débordera sur le bord de tes lèvres et même sur tes dents (et ça c'est loin d'être **cool**).

cool DAISY

C e look **cool** est un des préférés de Daisy. Le fard à paupières semble blanc mais lorsque tu l'appliques, il est de couleur lilas **irisé.** Tu n'as qu'à l'étendre sur toute la paupière avec une brosse pour fard à paupières pour faire **briller** tes yeux. Trace délicatement le contour de tes lèvres, comme nous l'avons fait pour Daisy, avec un crayon à lèvres rose pâle, et complète le look avec un blanc **perlé** pour les lèvres qui ajoutera une touche de **théâtrale** irrésistible.

Yeux Fard à paupières lilas irisé.
Lèvres Crayon à lèvres rose pâle, blanc perlé pour les lèvres.

cool JENNIFER

Jennifer porte une base dans le but d'**uniformiser** la teinte de sa peau. Le bleu est non seulement **cool**, c'est aussi une couleur froide. Et il peut faire tout un effet lorsque porté avec un fard à joues d'une teinte chaude, appliqué de façon inusitée.

Nous avons appliqué un fard à paupières bleu **foncé** de façon **plus intense** à la base de ses cils et nous l'avons atténué vers l'extérieur. Elle porte un mascara bleu.

Nous avons appliqué un fard à joues chaud sous les pommettes et l'avons fondu vers le bas afin d'**amincir** le visage de Jennifer.

Afin d'ajouter un certain contraste au maquillage de ses yeux bleus, nous avons appliqué beaucoup de brillant **teinté** de noir sur ses lèvres.

Visage Base.
Yeux Fard à paupières bleu foncé, mascara bleu.
Joues Fard à joues d'une teinte chaude.
Lèvres Brillant à lèvres teinté de noir.

cool SARAH

Une combinaison de couleurs **contrastantes** simple mais particulière comme le fard à paupières vert et l'orange pour les lèvres que porte Sarah peut créer un look très cool et très **inattendu.** Du violet sur les yeux avec de l'orange pourrait également sortir des sentiers battus.

Parce qu'elle est légèrement bronzée, nous avons appliqué une base liquide et légère de couleur **pâle** et avons saupoudré un peu de poudre translucide sur le visage de Sarah. Une peau pâle fait davantage ressortir la couleur des yeux, des lèvres et des cheveux si tu es rousse.

Nous avons appliqué un fard à joues de teinte chaude sur les pommettes de Sarah.

Pour rendre le fard à paupières vert en crème plus facile à porter, applique-le sur la portion de la paupière la plus proche des cils.

Nous avons très **légèrement** appliqué du rouge à lèvres orange **vif** sur les lèvres de Sarah.

Visage Base légère et poudre translucide.
Yeux Fard à paupières vert.
Joues Fard à joues d'une teinte chaude.
Lèvres Rouge à lèvres orange vif.

cool Tania

Tania porte une base à la teinte chaude qui s'harmonise avec la teinte de sa peau, ainsi qu'une légère poudre afin d'uniformiser sa couleur. Deux **extrêmes** : un maquillage vert kaki **foncé** pour les yeux et des lèvres **très pâles** ; un look extrêmement cool avec beaucoup de chien !

Nous avons utilisé beaucoup de fard à paupières kaki à la base des cils de Tania, ainsi que dans le pli de ses paupières. Nous avons choisi d'utiliser un traceur marine crémeux pour les yeux à la base de ses cils supérieurs, et nous avons allongé la ligne un peu plus, puis nous avons ajouté du pétillant à ses yeux en appliquant beaucoup de mascara noir.

Sur ses lèvres, nous avons opté pour une couleur très pâle afin de créer un contraste **frappant** avec ses yeux foncés. Nous avons choisi une couleur « **nue** » pour les lèvres, de la même intensité que la couleur de la base que porte Tania (sans crayon pour les lèvres) pour compléter son look.

Visage Base et poudre légère.
Yeux Fard à paupières vert kaki foncé, crayon marine pour les yeux et mascara noir.
Lèvres Rouge à lèvres de couleur « nue ».

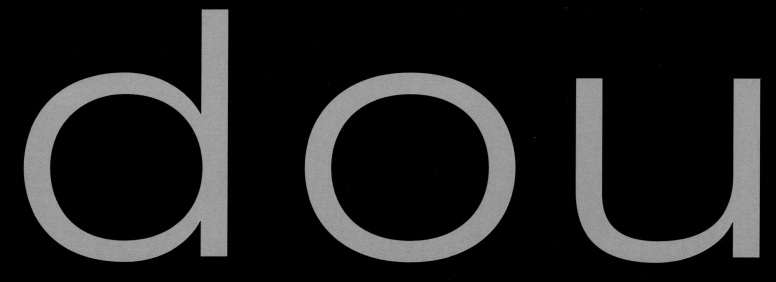

Un maquillage **doux** délicat et frais, pas trop chargé. Ce qui

est **doux** est romantique et féminin, et les couleurs sont

équilibrées. Pour créer un look douceur, essaie d'arrondir

tes yeux et d'avoir un regard innocent… mais vas-y douce-

ment sur les lèvres, car tu ne pourras obtenir ce look avec

des yeux et des lèvres trop en évidence. Des yeux enfumés

sans couleur sur les lèvres permettent d'obtenir un look aussi

doux que le miel sur un visage rond, mais qui serait trop fort

sur un visage angulaire. Sur un visage angulaire, le maquillage des yeux doit être sobre. Une harmonie rose pâle s'agencera bien avec toutes les couleurs... Rien de plus doux que la couleur de la barbe à papa... Si tu es une âme délicate, ce look est un excellent choix. Pour celles qui souhaitent attirer l'attention d'une personne timide, le look **douceur** fera très bien l'affaire ; maquille-toi ainsi pour aller à une fête, ton amoureux ne pourra pas résister !

douceSUZANNE

Yeux Fard à paupières vert-lime, fard à paupières bleu-vert méditerranéen.
Joues Fard à joues de couleur pêche/maïs.
Lèvres Brillant à lèvres transparent.

Pour que son maquillage demeure **délicat** et équilibré, la couleur foncée des yeux de Suzanne est **adoucie** à l'aide d'un brillant à lèvres **transparent.**

Un fard à paupières vert-lime est fondu très délicatement autour de ses yeux, rendant ses **innocents** yeux bleus un peu plus verts. Une teinte légèrement plus foncée de fard à paupières bleu-vert méditerrannéen est fondue autour des yeux, à la base des cils.

Nous avons appliqué un fard à joues pêche/maïs sur ses joues.

douceDAISY

Daisy a un visage **rond.** Ses yeux peuvent donc être « **enfumés** » ou noircis, et elle conserve un look doux puisque ses lèvres et ses joues sont également maquillées en **douceur.**

Les teintes **mates** de brun, de gris et une touche de fard à paupières noir ont été utilisées autour des yeux, mais nous les avons bien fondues afin de préserver la douceur, sans ligne très définie. Applique le fard gris au-dessus de la paupière et sous l'œil. Applique le brun dans le coin intérieur et dans le coin extérieur de l'œil, par-dessus le gris.

Mélange le noir au gris autour des yeux, à la base des cils, en ne t'éloignant pas des cils, et en l'appliquant de façon plus appuyée dans le pli de l'œil. Applique beaucoup de mascara noir. Si tu es blonde, utilise plutôt du mascara brun.

Daisy ne porte ni base ni poudre, seulement un peu de cache-cernes et un brillant à lèvres **transparent** qui n'entre pas en conflit avec le maquillage imposant de ses yeux.

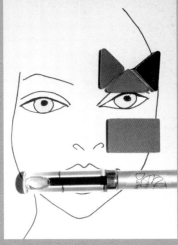

Visage Un peu de cache-cernes.
Yeux Fard à paupières mat gris et brun, fard à paupières noir, mascara noir (les blondes devraient utiliser du mascara brun).
Lèvres Brillant à lèvres transparent.

douceKaTRINa

Voici un look aussi doux qu'inusité. Tout est dans l'**équilibre.** Donc pas de couleurs fortes sur toutes les portions du visage maquillées. Ici, aucune base ou poudre n'a été appliquée sur la peau de Katrina, tout juste un peu de cache-cernes et un fard à joues en crème de couleur rose pâle.

Un fard à paupières rose **chatoyant** a été fondu de la base des cils supérieurs jusqu'aux sourcils, et la région sous ses yeux puis celle qui se situe proche des cils supérieurs ont été accentuées grâce à un fard rose-brun plus foncé.

Katrina porte un brillant à lèvres rose **glacé.**

Pour fixer des **brillants** et des cœurs, nous avons appliqué un soupçon de fard en crème turquoise sur le coin extérieur des yeux de Katrina et un brillant **transparent** sur les pommettes. Nous avons ensuite appliqué les brillants sur ces produits. Pour les bijoux, tu auras besoin de fausses pierres au dos plat et d'un peu de colle pour faux-cils. Dépose une goutte de colle à faux-cils sur la portion de ton visage qui sera ornée d'un bijou et attends quelques secondes, jusqu'à ce que la colle devienne gommante au toucher. Applique ensuite la pierre sur la colle et maintiens-la en position pendant quelques secondes, jusqu'à ce que la colle sèche.

Visage Un peu de cache-cernes, des brillants (maintenus en position avec un soupçon de fard à paupières en crème et de brillant transparent) et des faux bijoux (appliqués avec de la colle pour faux-cils).
Yeux Fard à paupières rose chatoyant, fard à paupières brun-rose plus foncé.
Lèvres Brillant à lèvres rose givré doux.

douce SARAH

I n'est pas nécessaire de porter du rose pour avoir un look douceur. Comme tu peux le constater sur Sarah dans cette photo, les couleurs **vives** peuvent aussi être **fraîches** et charmantes si tu sais bien les utiliser ! Sarah porte une base et de la poudre pour uniformiser la teinte de sa peau et adoucir ses taches de rousseur.

Du crayon bleu foncé pointillé à la base de ses cils supérieurs et inférieurs **accentue** et élargit ses yeux en raison des couleurs contrastantes. Pointiller du crayon sous les yeux les rend encore plus clairs et **sereins,** alors que le mascara brun les **définit** doucement. Nous avons davantage adouci le regard de Sarah en appliquant un léger fard chatoyant avec une **touche** de lilas sur le reste de la paupière.

Ses lèvres sont définies avec un rouge rubis.

Si tu utilises une couleur de rouge à lèvres intense, veille à l'appliquer légèrement à l'intérieur de la ligne naturelle des lèvres pour éviter que la couleur devienne trop forte.

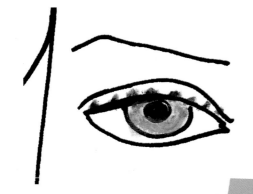

Visage Base et poudre.
Yeux Fard à paupières lilas pâle chatoyant, crayon bleu foncé pour les yeux, mascara brun.
Lèvres Rouge à lèvres rubis.

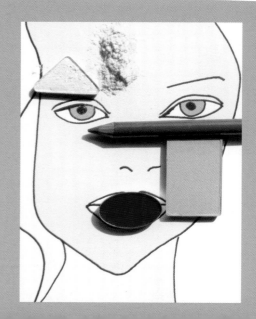

douceLUCINDa

Les violets et lilas doux sont superbes sur les blondes, et suffisamment subtils pour être utilisés dans un look **douceur.** Ce sont des couleurs **brumeuses** et très jolies.

Lucinda porte une base et une couleur chaude sur les joues pour que celle-ci s'harmonise avec la teinte de sa peau. Cela permet à ses yeux et à ses lèvres, dont le maquillage est **plus froid,** d'être davantage remarqués.

On préserve la douceur d'un maquillage qui aurait pu devenir très glamour en utilisant tout juste un peu de fard à joues très doux et une couleur à lèvres qui l'est tout autant, au lieu d'une couleur puissante sur les lèvres.

Nous avons appliqué du fard à paupières lilas **irisé** sur ses paupières, au-dessus et au-dessous de ses yeux, dans les coins intérieurs. Le violet accentue les yeux verts. Nous avons donc appliqué une teinte plus foncée de fard violet dans le pli des paupières, et aussi dans le coin extérieur des yeux, fondue vers l'extérieur. Nous avons appliqué du traceur violet en pain (mélangé avec de l'eau) à la base des cils ; la ligne est un peu plus large vers le coin supérieur extérieur des yeux.

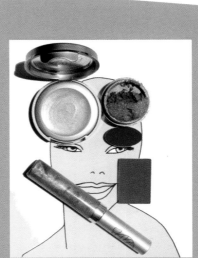

Visage Base.
Yeux Fard violet irisé et violet foncé, ligneur en pain violet.
Joues Fard à joues d'une teinte chaude.
Lèvres Brillant à lèvres.

douceTania

Il existe plusieurs teintes de rose ! Une peau légère-ment brunâtre profite d'un regain d'énergie avec cette teinte **pure.** Nous ne parlons pas ici d'un rose chaud. Ce serait trop **exagéré** pour un look douceur. Nous avons pourtant débuté avec le rose extravagant que l'on voit sur Tania en page 117, mais nous l'avons adouci pour créer le look d'une **princesse.**

Le cache-cernes, la base et la poudre que porte Tania sont harmonisées.

Nous avons **appliqué** du fard à paupières violet sur une fine couche de fard rose et du traceur, puis nous avons adouci les couleurs en les frottant légèrement avec des cotons-tiges. Nous avons ensuite appliqué un fard taupe doux par-dessus les autres couleurs pour les atténuer davantage.

Des lèvres plus pâles sont essentielles à un look doux, tout particulièrement si ton visage est de forme angulaire ou que tu souhaites porter un maquillage des yeux imposant. Tania porte ici un rouge à lèvres rose doux et **givré** pour équilibrer le rose plus imposant du maquillage de ses yeux. Pour givrer davantage la couleur des lèvres, tu peux y ajouter un peu de blanc.

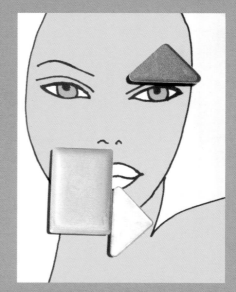

Yeux Fard à pau-pières taupe (pour adoucir le traceur rose et le fard à pau-pières violet illustrés en page117).
Lèvres Rouge à lèvres rose froid et givré.

spor

Un look **sportif** met en évidence ton allure saine, propre et naturelle. Dans ce cas, le maquillage est normalement discret. Lorsque tu penses à créer un look
sportif, tu dois aussi penser aux sports qui te con-
viennent. Si tu es une patineuse artistique comme
Lucinda, tu peux porter davantage de maquillage qu'une
joueuse de soccer comme Sarah. Une surveillante de

tif

baignade, comme Tania, doit d'abord et avant tout pro-téger sa peau d'une trop grande exposition au soleil, mais aussi mettre l'accent sur une chaude brillance. Un look **sportif** est toujours radieux et sans effort ; il fait ressortir tes joues roses et l'étincelle dans tes yeux, peu importe le sport que tu affectionnes. Tu donneras envie aux autres de se lever, d'aller dehors et d'être actifs !

sportive SUZANNE

Suzanne adore la **plage** et la mer. Elle aimerait bien avoir le look d'une fille qui surfe tous les jours. Sur cette photo, elle revenait tout juste de passer la semaine de **relâche de mars** à Aruba. Elle a bien sûr porté une bonne protection solaire. Elle n'a donc qu'un très léger bronzage.

Nous avons accentué son **bronzage** avec une base plus chaude et plus foncée que ce qu'elle porterait normalement, et appliqué un fard à joues en crème de couleur chaude au centre de ses joues, juste à l'endroit où le **soleil** aurait pu la surprendre si elle avait vraiment surfé.

Pour faire briller ses paupières, nous avons appliqué un fard vert très pâle. Nous avons utilisé un mascara brun pour ses cils (ce qui donne aux **blondes** un look plus naturel que le mascara noir).

Elle est superbe avec un brillant à lèvres naturel, mais elle a également essayé un orange vif pour accentuer son sourire et sa personnalité joyeuse. Suzanne la New-Yorkaise a vraiment l'air d'une **surfeuse** de Malibu.

Visage Base chaude et foncée.
Yeux Fard à paupières en crème vert pâle, mascara brun.
Joues Fard à joues crème d'une teinte chaude.
Lèvres Brillant à lèvres orange vif.

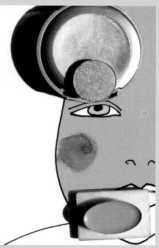

sportive **Katrina**

La plupart des joueuses de **tennis** portent peu de maquillage. Voici donc un look **désinvolte** et craquant idéal pour frapper des balles sur les courts.

La peau parfaite de Katrina n'a pas besoin de base. Nous avons donc appliqué uniquement un peu de cache-cernes et de poudre.

Nous avons accentué ses yeux à l'aide d'un fard perle sur les paupières et avons utilisé du fard brun sous les yeux, à la base des cils inférieurs et dans les coins extérieurs.

Elle porte un rouge à lèvres neutre avec du brillant par-dessus, et ses lèvres sont légèrement définies avec un crayon brun pour les lèvres. **Pointage : quarante zéro.** Wimbledon n'a qu'à bien se tenir, Katrina arrive !

Visage Un peu de cache-cernes et de poudre.
Yeux Fards à paupières perle et brun.
Lèvres Rouge à lèvres neutre, brillant transparent, crayon brun pour les lèvres.

sportive Daisy

Daisy est une **nageuse** passionnée. Elle aime avoir un bronzage doré et est fière de ses **taches de rousseur.** Le produit le plus important qu'elle applique sur son visage est l'écran solaire avec indice de protection 30 dès qu'elle est à la **piscine** ou à la **mer.** Autant Daisy est fière de ses taches de rousseur, autant elle prend soin de son visage et réapplique tout au long de la journée la protection solaire. Si tu as des taches de rousseur et qu'elles deviennent plus foncée et plus grandes **pendant l'été,** c'est un signe que ta peau a subi des dommages. Tu devrais donc faire tout particulièrement attention à ta peau et appliquer une protection solaire plus régulièrement. Le look sportif de Daisy est donc aussi **simple** que possible : l'**eau** ajoute une brillance naturelle à sa peau et à ses cheveux, alors que l'écran solaire lui donne une apparence saine et **radieuse.** Il ne manque plus que le thé glacé...

sportive SARAH

Visage Un peu de cache-cernes et un écran solaire.
Yeux Mascara brun.
Joues Fard à joues léger, bandes d'écran solaire en crème épaisse, mélangé à de la peinture bleue pour le visage.
Lèvres Brillant à lèvres.

Sarah est une joueuse de **soccer,** mais elle aime avoir un look d'enfer, **même sur le terrain.** Porter du maquillage pour les matchs importants lui donne ce dernier coup de pouce de **confiance** qui la motive à gagner.

Sarah porte un peu de cache-cernes et de fard à joues, du brillant à lèvres, du mascara et, encore plus important, un écran solaire. Sarah a demandé qu'on réalise sur son visage un maquillage qui la rendrait plus **intimidante** sur le terrain. Nous avons donc mélangé de l'écran solaire à de la peinture bleue pour le visage que nous avons appliqué au-dessus des pommettes. Cela assure une protection supplémentaire à sa peau sensible et lui donne l'apparence d'une guerrière ! Attention, le gardien de but : Sarah est peut-être mignonne, mais elle n'en est pas moins **féroce !**

sportive LUCINDA

Visage Base et poudre.
Yeux Fard à paupières
bleu pâle, mascara noir.
Joues Une touche de fard
à joues.
Lèvres Brillant à lèvres teinté
de noir et brillant à lèvres irisé.

Lucinda est une **star du patinage artistique.**
Même lorsqu'elle ne fait que s'**entraîner,** elle
aime avoir un look un peu **glamour** et protéger sa
peau du **froid** à l'aide d'une base et de poudre. Ici,
elle porte un fard à paupières bleu pâle, beaucoup
de mascara noir, un peu de fard à joues sur les pommettes et beaucoup de son brillant à lèvres préféré.
(Nous avons utilisé un brillant irisé par-dessus un brillant teinté de noir ; le mélange des deux brillants rend
ses lèvres douces et rosées.) Elle est maintenant
prête à fendre **la glace** et à réaliser des axels
triples sur sa musique préférée.

sportive**TaNIa**

T ania est **surveillante de baignade** pendant l'été. Heureusement, sa peau est très robuste. Sauver des vies est un dur travail, mais lorsque tu passes autant de temps au **soleil,** les risques de dommages à la peau sont également très sérieux. Pour préserver la santé de sa peau, elle la protège à l'aide d'une crème solaire hydrofuge huileuse en tout temps ; cela donne aussi de la **brillance** à sa peau, brillance qui est accentuée par le fard à joues en crème. Un fard à paupières en crème **doré** scintillant et un brillant à lèvres jaune contribuent également à préserver son look frais et **humide,** même lorsqu'elle n'est pas dans l'eau. Je connais plusieurs garçons qui feraient une tentative de noyade uniquement pour être sauvés par Tania...

Visage Protection solaire hydrofuge huileuse.
Yeux Fard à paupières en crème doré scintillant.
Joues Fard à joues en crème de couleur baies.
Lèvres Brillant à lèvres jaune.

Tout le monde peut être influencé par le **rétro** et en fa

son style. Pas besoin d'avoir l'air de sortir directement

d'un vieux film ou d'un vieux livre d'histoire. Pense à

Marilyn Monroe dans les années 1950, à Madonna dans

les années 1980 et aux actrices que l'on adule en ce

moment. Les lèvres rouge **rétro** et le crayon foncé pou

les yeux reviennent régulièrement. Les faux-cils sur

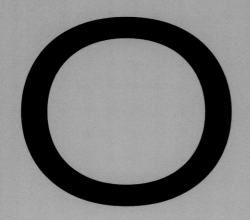cils supérieurs et inférieurs sont résolument **rétro,** inspirés des années 1960, et les longs yeux chatoyants de la scène disco des années 1970 soulèvent encore l'enthousiasme. Adopte le **rétro** et transforme un look du passé en un look qui rappelle un peu hier, un peu aujourd'hui, mais qui est tout nouveau et uniquement à toi ! Surtout, amuse-toi et fais tourner quelques têtes !

rétro **SaRaH**

Sarah aime avoir le look d'**une actrice de cinéma des années 1920**. Son look est **théâtral** mais le maquillage est facile à porter parce qu'il n'est pas exagéré. Ici, sa peau pâle est nue. Elle ne porte ni base ni poudre.

Nous avons **enfumé** ses yeux (pour ajouter à son look de **diva**) en utilisant un traceur et un fard des mêmes teintes rouge et ambre que ses cheveux. Nous avons bien défiini ses lèvres (comme à **Hollywood**) en utilisant un rouge à lèvres brun mélangé à du rouge à lèvres rouge brique.

Pour obtenir ce look, les couleurs de fard à paupières doivent être très mates (pas brillantes, ni scintillantes ou perlées). Nous avons appliqué un fard de couleur chameau autour des yeux de Sarah et les avons accentués à l'aide d'un fard rouge-brunâtre à la base de ses cils. Ses cils sont aussi **accentués,** grâce à du mascara brun ainsi qu'a des **faux-cils naturels.** Si tu es plus foncée que Sarah, tu devrais utiliser des cils **noirs.** Adopte ce look si tu te sens comme une **femme fatale ;** et fais attention de ne pas briser trop de cœurs...

Yeux Fard à paupières mat brun chameau, fard à paupières rouge-brunâtre, mascara brun et faux-cils.
Lèvres Rouge à lèvres brun mélangé à un rouge à lèvres rouge brique.

rétro Katrina

Voici un autre look parfaitement classique issu directement des **années 1920**. Sur Katrina, nous avons réalisé un maquillage inspiré de Clara Bow, une actrice des années 1920 célèbre pour ses **grands yeux** et sa sensuelle **bouche en cœur**. C'est le look qui a rendu célèbres nombre de **jeunes femmes** et d'actrices de l'époque du cinéma muet puisqu'il est tout à fait captivant, **mystérieux** et théâtral.

Nous avons d'abord appliqué une base pâle pour uniformiser et pâlir la peau de Katrina et pour créer un **look semblable** à celui d'une poupée puisque c'était si populaire à cette époque.

Des cercles de fard à paupières au-dessous et au-dessus des yeux, montant jusqu'à la paupière, donnent l'impression que les yeux de Katrina sont plus ronds et lui confèrent un regard **innocent**. Tu peux réaliser cela en fondant un fard à paupières vert mat autour des yeux, puis en appliquant une teinte plus foncée et vive de vert à la base des cils.

Pour que tes lèvres soient comme celles de Katrina, trace-les avec un crayon pour les lèvres mais en **prenant soin** de garder le contour plus mince et arqué en restant à l'**intérieur** de la ligne naturelle de tes lèvres, surtout aux extrémités. Nous avons utilisé un rouge à lèvres mat et avons appliqué du crayon blanc pour créer un petit v au centre de la lèvre supérieure, ce qui donne aux lèvres une forme inhabituelle. Tout ce dont tu as besoin maintenant, c'est d'une robe d'**époque**, et tu auras l'air de sortir directement d'un *film des années 1920*.

Visage Base.
Yeux Fard à paupières vert mat et vert vif.
Lèvres Crayon pour les lèvres, rouge à lèvres mat, crayon à lèvres blanc.

rétroTania

Dans les **années 1940,** le style de maquillage était plus **rafraîchissant** que dans les années 1930 et 1950, et les femmes aimaient que leurs **sourcils** aient une apparence plus large et naturelle. Le rouge était vraiment sur toutes les lèvres. Il a été facile de transformer le look sportif de Tania en look rétro des années 1940. Voici ce que nous avons fait.

Il s'uffisait de « **glamouriser** » Tania avec des touches de couleur sur ses paupières. Un cuivre brillant à la base des cils a ajouté une lueur. Nous avons appliqué du rouge transparent sous les sourcils pour ajouter une note **théâtrale,** et une touche de turquoise sur les coins extérieurs des yeux pour donner du punch !

Un rouge doux **accentue** ses lèvres. Et, avec une touche de fard couleur baies sur ses joues, nous avons transformé ce qui aurait été un look monochrome conventionnel en un look plus inhabituel. On dirait que Tania se prépare à monter sur scène pour chanter dans un club de **jazz** des années 1940. Il ne lui manque plus qu'un gros micro de l'époque.

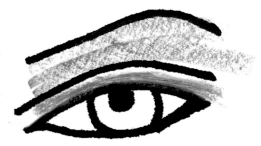

Yeux Fard à paupières rouge transparent avec brillance cuivre et fard à paupières turquoise.
Joues Fard à joues de couleur baies.
Lèvres Rouge à lèvres rouge doux.

rétro SUZANNE

Dans les **années 1950, le rock and roll** et les **voitures chromées** étaient à la mode, et les ados étaient au septième ciel. Les filles portaient du **traceur liquide** noir sur les yeux et des rouges à **lèvres brillants**. Ce maquillage est un grand **classique** des années 1950 qui, s'il est réalisé correctement, donnera une apparence fabuleuse à quiconque. Pour donner une touche de fraîcheur et de modernisme à ce look, ne porte qu'une légère base ou pas du tout si tu as une belle peau. Voici ce qu'il faut faire pour obtenir ce look.

Applique du fard à joues d'une couleur très douce (comme un rose pâle) pour donner à ton visage une brillance naturelle ; mais n'en utilise pas trop.

Les paupières doivent être légères, donc pas de fard à paupières ou très peu. Ou encore un peu de produit chatoyant, coloré ou non. Utilise du traceur liquide **noir** pour les yeux et trace la ligne le plus près possible des cils supérieurs, la faisant dépasser seulement un peu de l'extrémité de la ligne des cils. Tu peux aussi réaliser cette ligne avec un traceur d'une autre couleur afin d'ajouter une **touche de modernisme** à ce look. Tu peux porter un peu de mascara sur les cils inférieurs et définir les cils supérieurs avec un léger pointillage de crayon brun le long de la ligne des cils, dans la mesure où cette ligne demeure très légère. Les **sourcils** peuvent être légèrement définis et **arqués**. Le choix du **bon rouge** à lèvres est important. Règle générale, un rouge avec une brillance légèrement orangée sera plus doux sur les blondes et les rousses ; alors que les brunes et les filles à la peau plus foncée référeront porter des rouges teintés de bleu. Une fois le traceur noir et le rouge à lèvres rouge appliqués, enfile un chandail **floconneux** et demande à ton papa de te faire faire un tour de décapotable !

Visage Base légère.
Yeux Fard à paupières chatoyant doux (ou pas du tout), traceur liquide noir pour les yeux et mascara sur les cils inférieurs.
Joues Fard à joues rose pâle.
Lèvres Rouge à lèvres rouge avec une brillance légèrement orangée pour les blondes et les rousses ; rouge à lèvres rouge avec une teinte bleutée pour les brunes et les filles à la peau foncée.

rétroLUCINDA

Les **années 1960** ont été caractérisées par leurs couleurs **vives** et extravagantes (pense à la **teinture au nœud**) et une mode assez **éclatée** (pense aux pantalons à pattes d'éléphant et aux mini-jupes), qui sont encore **à la mode** de nos jours. Lucinda allonge habituellement ses yeux avec du fard ou du traceur. Je me suis donc dit que ce look des années 1960 avec les **faux-cils** et le fard à paupières fondu autour des yeux constituerait un bon **changement** pour elle.

J'ai d'abord utilisé une base de couleur chaude sur sa peau et j'ai accentué ses joues à l'aide d'un fard à joues teinté de **bronze.**

Pour le maquillage des yeux, tu peux appliquer un fard turquoise très épais autour des yeux, à la base des cils, puis le fondre vers l'extérieur jusqu'à ce que l'application soit lisse. **Saupoudre** une poudre translucide par-dessus le tout, puis applique un peu de fard à paupières en poudre blanc sur le turquoise à la base des cils et dans les coins intérieurs des yeux. Applique beaucoup de **mascara** sur tes cils, puis fixe les faux-cils supérieurs et inférieurs (voir les instructions en page 32). Lucinda est maintenant complètement **psychédélique**... Lenny Kravitz serait fier d'elle !

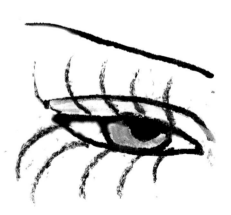

Visage Base de couleur chaude.
Yeux Fard à paupières turquoise, poudre translucide, fard à paupières en poudre blanc, mascara noir et faux-cils.

rétro Daisy

Les **années 1970** représentent l'époque **disco** : les joues étaient accentuées, les nez amincis avec une poudre contour, les yeux étaient allongés avec beaucoup de **produits chatoyants.** Le maquillage était parfait pour les **fêtes.**

Pour créer ce look, applique beaucoup de fard à paupières en crème violet autour de l'œil, à la base des cils. Réalise un fondu vers l'extérieur afin d'**allonger** l'œil. Utilise un crayon noir à l'intérieur de l'œil, sur la ligne des cils inférieurs, et à la base des cils supérieurs, par-dessus le fard. Balaye de la poudre translucide pour le visage sur les paupières, puis applique un fard à paupières chatoyant rose-violet sur la paupière, jusqu'aux sourcils, en **prolongeant** l'application de fard jusqu'aux tempes. Applique du mascara noir.

Pour donner l'impression que ton nez est plus **mince,** prends un petit pinceau à fard à paupières propre et trempe-le dans le fard en poudre brun. Applique la poudre en pointillant, en commençant à la ligne des sourcils, puis en la fondant légèrement vers le bas de chaque côté du centre du nez.

Applique ensuite un fard à joues rose-violet du lobe de l'oreille jusqu'à la bouche, en le positionnant légèrement sous la pommette. **Accentue** la portion supérieure de la pommette avec une poudre blanche. Termine avec un rouge à lèvres fuchsia. Tu es maintenant prête à aller t'éclater dans un party disco et à **danser** sous la boule miroir et le stroboscope !

Nez Fard brun pour le contour.
Yeux Fard à paupières en crème violet, crayon traceur noir, poudre translucide, ombre rose ou violette chatoyante, mascara noir.
Joues Fard à joues violet-rose, poudre blanche.
Lèvres Rouge à lèvres fuchsia.

glamo

Un look glamour est un tourne-tête garanti ou argent re-
mis. Il peut d'ailleurs faire des miracles pour ton moral.
Incapable de trouver les souliers parfaits pour ta soirée de
remise de diplômes ? Aucun problème. Tu n'as qu'à t'appliquer un peu plus aux détails de ton maquillage et personne
ne remarquera tes chaussures ! Tu préfères qu'on regarde
ton visage au lieu de tes pieds ? Opte pour des paupières,
des joues et des lèvres glamour chatoyantes et scintillantes.

u r

Rend tes lèvres plus boudeuses, tes paupières plus brillantes et tes yeux plus larges. Toutes les caractéristiques de ton visage peuvent être exagérées puisque tu es **glamour !** Les joues peuvent être découpées et soulignées, ou tu peux utiliser une couleur à lèvres frappante. Les faux-cils individuels sont un autre moyen de créer un look **glamour.** C'est le type de look que tu aimeras lors d'une remise de diplômes, pour une danse d'école ou une fête.

glam SUZANNE

Suzanne a l'air fin prête à **marcher sur la piste** pour le défilé ! Ici, elle porte une base et de la poudre. Ses joues ont été **mises en évidence** avec un fard à joues brun doux appliqué sous la pommette, sans oublier un peu de **brillant,** un peu plus haut. La teinte mate plus foncée de fard à joues **amincit** le visage et le fard chatoyant accentue la zone sur laquelle tu l'appliques.

Sur ses paupières, Suzanne porte un fard en crème **doré** dégradé de la base des cils jusqu'aux sourcils. Par-dessus, nous avons ajouté une poudre bronze chatoyante à partir de la base des cils vers les coins extérieurs des yeux, puis nous en avons ajouté un tout petit peu sous les yeux. Nous avons appliqué un traceur en pain brun, à l'aide d'un pinceau mouillé, à la base des cils supérieurs, et une touche de fard **argent** dans les coins intérieurs supérieur et inférieur des yeux. Nous avons utilisé beaucoup de mascara noir sur les cils supérieurs et inférieurs.

La touche finale : un rose pâle sur les lèvres, sur lequel on ajoute une teinte de rose plus foncée.

Visage Base et poudre.
Yeux Fard en crème doré, poudre bronze chatoyante, traceur en pain brun et mascara noir.
Joues Fard à joues brun pâle, brillant doux.
Lèvres Couleur à lèvres rose pâle mélangée à un rose plus foncé.

glam KATRINA

L e caractère résolument **glamour** de ce maquillage réside dans sa finition aussi **étincelante que polie.** Pas besoin de porter des tonnes de maquillage pour réaliser ce look ; appliquer les **bonnes couleurs** aux **bons endroits** fait toute la différence.

J'ai utilisé une base et une poudre sur la peau de Katrina pour obtenir une finition **glamour** et uniforme.

J'ai appliqué beaucoup de fard brun et noir autour de ses yeux, avec un fard blanc sous les sourcils pour donner plus de profondeur à ses yeux (voir l'esquisse du haut). Ses yeux sont tracés de noir à la base des cils supérieurs pour les **accentuer** davantage (voir l'esquisse du bas).

Katrina porte un fard à joues corail fondu très bas à partir de la pommette, et un rose pâle sur les lèvres.

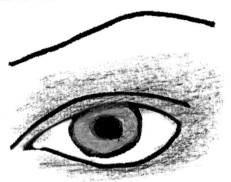

Visage Base et poudre.
Yeux Fard à paupières brun foncé et noir, fard à paupières blanc, traceur noir pour les yeux.
Joues Fard à joues corail.
Lèvres Rouge à lèvres rose pâle.

glam Jessica

Il a été facile de donner à Jessica un look **glamour** puisqu'elle est si agréable et **enjouée**. Tout ce que j'ai eu à faire fut d'ajouter quelques touches de maquillage pour que son **âme** transparaisse.

Pour uniformiser la couleur de sa peau, nous avons appliqué une base et de la poudre.

Pour accentuer sa personnalité **extravertie**, nous avons utilisé des couleurs vives sur ses yeux. Nous avons choisi un fard vert irisé pour la paupière et le pli, et un fard bronze sous les sourcils. Les yeux de Jessica sont bordés de crayon noir, à l'extérieur et à l'intérieur de l'œil.

Nous avons délicatement appliqué un fard de couleur chaude sur les joues de Jessica.

Nous avons aussi appliqué un rouge à lèvres bronze rosé à l'intérieur de la ligne naturelle des lèvres de Jessica pour **équilibrer** ses lèvres et ses yeux. Si tu as des lèvres larges comme celles de Jessica et que tu souhaites les adoucir, applique la couleur à l'intérieur de la ligne naturelle de tes lèvres. N'utilise pas de crayon pour les lèvres.

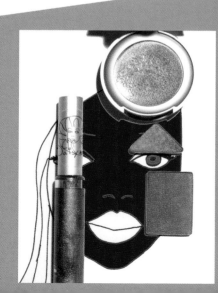

Visage Base et poudre.
Yeux Fard vert irisé, fard bronze et crayon noir pour les yeux.
Joues Fard à joues d'une teinte chaude.
Lèvres Rouge à lèvres rose bronze pâle.

glam JENNIFER

Jennifer aime un look plus **amusant** mais **réservé**. Nous avons donc décidé d'**harmoniser** son fard à paupières ou **enneigé** avec la couleur de ses lèvres et de « glamouriser » ces couleurs douces avec des faux-cils. Nous avons utilisé un crayon à sourcils pour prolonger légè-rement les sourcils de Jennifer et de Jessica.

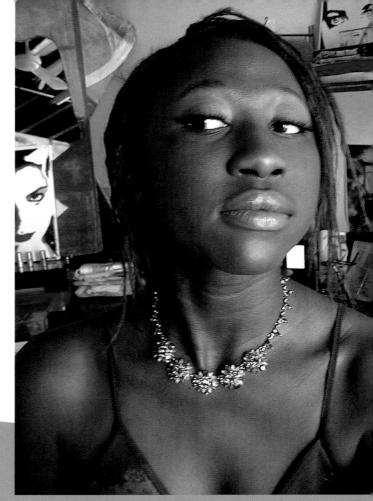

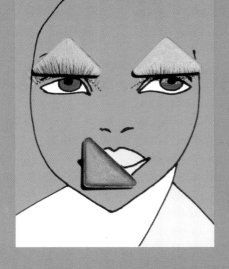

STYLE 249   NOIR

FAUX-CILS EUROPÉENS 100%

Visage Base et poudre.
Yeux Fard à pau-pières ou enneigé, faux-cils.
Joues Fard à joues d'une teinte chaude.
Lèvres Brillant à lèvres ou enneigé.

glam SARAH

Tout le monde dit que les rousses doivent éviter le rose et le bleu. Nous avons donc décidé de faire exception pour créer ce look **glamour.** Tu seras d'accord avec nous... elle est **fabuleuse** avec ses lèvres pâles, ses joues roses et son maquillage bleu bébé sur les yeux.

Nous avons d'abord appliqué la base et la poudre, puis le fard à paupières bleu **caraïbes** pour ensuite le renforcer avec le fard en poudre **écume de mer.** Nous avons utilisé le même crayon bleu que sur Sarah (page 72). Par contre, cette fois-ci, nous l'avons appliqué à la base des cils supérieurs et à l'intérieur de la portion inférieure de l'œil. Dans le coin intérieur des yeux, nous avons appliqué une poudre **poussière d'étoiles** blanche **chatoyante.** Pour compléter ces yeux glamour, nous accentuons les sourcils avec un crayon brun pâle pour les sourcils.

Beaucoup de fard à joues en poudre a été appliqué sur ses joues et fondu vers le bas. Pour rendre ses lèvres plus **voluptueuses,** nous avons appliqué un brillant à lèvres rose chatoyant, puis les avons définies à l'aide d'un crayon rose poudreux. Pour les accentuer davantage, nous avons également appliqué une touche de couleur neutre pour les lèvres et un peu de blanc perlé par-dessus.

Visage Base et poudre.
Yeux Fard en crème bleu Caraïbes pâle, fard en poudre bleu écume de mer, crayon bleu pour les yeux.
Joues Fard à joues en poudre rose foncé.
Lèvres Brillant rose chatoyant doux, neutre et blanc perlé pour les lèvres, crayon rose poudreux pour les lèvres.

glam LUCINDA

Lucinda est toujours **glamour** sur la glace. Elle porte d'ailleurs les costumes les plus **éblouissants.** Il est important pour elle d'avoir un maquillage qui s'harmonise avec ses vêtements, sans lui donner un look trop sophistiqué. Elle aime donc que ses lèvres soient relativement douces avec beaucoup de brillant, et que ses yeux soient accentués.

Lucinda porte un peu de base et de poudre.

Nous avons appliqué un fard gris fumé et, par-dessus, un fard en poudre chatoyant de couleur lilas, du pli de la paupière jusqu'aux sourcils. Nous avons pointillé une touche de fard turquoise **métallique** dans les coins intérieurs des yeux de Lucinda afin d'**accentuer** leur couleur verte, puis nous avons appliqué du traceur liquide noir à la base de ses cils, en épaississant la ligne dans les coins extérieurs des yeux et en la prolongeant légèrement au-delà de la ligne des cils pour légèrement **allonger** ses yeux.

Visage Base et poudre.
Yeux Fard à paupières gris fumée, fard à paupières turquoise métallique et traceur liquide noir pour les yeux.
Lèvres Beaucoup de brillant à lèvres.

glam**Daisy**

Daisy m'a demandé de lui donner un look très **glamour** pour ses photos de **remise de diplôme** à l'école. Elle porte un peu de cache-cernes et de la poudre.

Un fard à paupières bourgogne a été appliqué sur ses yeux, adouci par un peu de pêche et de rose poudreux sous les sourcils. J'ai appliqué beaucoup de mascara noir uniquement sur les cils supérieurs et j'ai utilisé un rouge doux pour les lèvres teinté de bleu pour compléter son look.

Le maquillage des lèvres et des yeux de Daisy était assez **intense.** J'ai donc choisi d'utiliser **un fard à joues très naturel.** Trois caractéristiques intenses dans le visage auraient rendu le maquillage trop imposant. Avec ce maquillage, Daisy aura de **superbes** photos de remise de diplôme.

Visage Un peu de cache-cernes et de la poudre.
Yeux Fard à paupières bourgogne adouci par du fard pêche et rose poudreux. Mascara noir.
Joues Fard à joues naturel.
Lèvres Rouge à lèvres rouge doux.

glam**Tania**

Nous avons décidé d'accentuer le côté **exotique** de la personnalité de Tania avec ce maquillage **passion.** Les résultats finaux ont été **tellement étourdissants** que Tania aurait pu arrêter la circulation !

Nous avons réalisé ce maquillage en utilisant d'abord une base de couleur **chaude** comportant une forte nuance de jaune, puis en appliquant le fard **ambre** assez bas sur les pommettes.

Beaucoup de fard en crème noir et de crayon noir ont été utilisés autour des yeux de Tania pour les rendre plus profond, mais aussi pour les allonger. Le crayon noir a été appliqué à l'intérieur de l'œil, en haut et en bas. Sous le sourcil, sur l'arcade sourcillière, nous avons appliqué délicatement un fard **ivoire** mat pour compléter le maquillage des yeux.

La **belle forme** des lèvres de Tania a été accentuée grâce à un rouge à lèvres bourgogne foncé appliqué à l'aide d'un pinceau à lèvres.

Visage Base chaude avec forte nuance jaune.
Yeux Fard crème noir, crayon noir et fard ivoire mat.
Joues Fard à joues ambre.
Lèvres Rouge à lèvres bourgogne foncé.

extravag

Tout le monde a son petit côté sauvage et fou... et nous aimons toutes les laisser s'exprimer de temps à autre.

Le maquillage **extravagant** est parfait quand tu te sens éclatée et que tu as envie que tout le monde le sache. C'est pour ces moments où tu as envie d'expérimenter avec les couleurs, les pinceaux, les peintures et les poudres. Tu vas voir, c'est génial de s'exprimer avec des couleurs vives et de grands coups de pinceau ! Le maquillage **extravagant** est une expression du jeu à l'état pur. C'est un style qui peut être intéressant pour un vidéoclip...

ant

mais qui ne convient pas du tout aux journées d'école.

Ce peut vouloir dire avoir le visage peint pour aller à un

concert. Ou créer des looks de mannequins **extravagants**

lorsque tes amies et toi imitez Tyra Banks lors d'une scéance

de photos. Ou encore, **extravagant** peut vouloir dire sortir

de la routine et porter un mascara bleu avec du crayon noir

pour les yeux. **Extravagant** convient aux filles qui aiment

peindre, sculpter, danser, chanter et jouer ! Ce qu'il y a

de génial à propos du maquillage est que tu peux toujours

le nettoyer pour l'effacer... et recommencer !

extravagante SUZaNNe

Visage Peinture rouge pour le visage appliquée grossièrement sous l'œil.
Yeux Fard à paupières vert et bleu au-dessous et au-dessus des pupilles (voir page 58).
Lèvres Rouge à lèvres gris.

Je n'avais au départ pas l'intention de réaliser un maquillage **extravagant** sur notre douce Suzanne, mais après avoir passé un peu plus de temps avec elle, j'ai découvert le côté **extravagant** de sa personnalité et je n'ai pu résister ! J'ai rapidement transformé son look **cool** en appliquant du gris sur ses lèvres. Ensuite, j'ai appliqué de la peinture rouge sur son visage (les peintures pour le visage et le corps sont offertes dans la plupart des boutiques de produits de beauté), à l'aide d'un pinceau, tout juste sous son œil. Ça lui a donné un look légèrement **tribal,** et un peu **âge spatial...**

extravagante Sarah

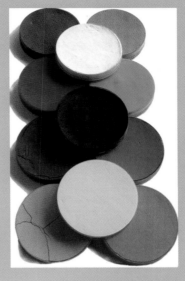

A vec les filles, nous avons eu un **plaisir fou** à réaliser les photos de ces looks. J'ai développé les **idées** de ces maquillages surtout en apprenant à les connaître un peu mieux. Pour cette photo de Sarah, il était tard, il faisait froid et j'étais sur le point de perdre la lumière dont j'avais besoin pour sa photo. J'ai donc transformé rapidement Sarah en la peignant au pochoir. J'ai placé un **pochoir** sur sa peau et j'ai vaporisé du vaporisateur coloré pour les cheveux sur le pochoir (attention de tenir ce produit bien loin des yeux et du nez, et retiens ton souffle pendant le vaporisation). Tu peux utiliser des pochoirs que l'on trouve dans les magasins de matériel d'**artiste,** ou en créer de plus originaux en les **découpant** dans du papier. J'ai ensuite **essuyé** la couleur vers le bas de son visage à l'aide d'un **pinceau** et de peinture pour le corps. Encore une fois, évite d'aller trop près des yeux. Lorsque nous avons terminé, Sarah était légèrement **punk,** avec un look de « **graffitiée** », soit un look parfait pour la pochette de CD d'un groupe de filles.

Peinture pour le corps et le visage Aquacolor de Kryolan.

Visage Vaporisateur coloré pour les cheveux appliqué avec soin et très légèrement à l'aide d'un pochoir, bande de peinture verte pour le visage.
Lèvres Rouge à lèvres rouge-violet vif.

extravaganteKATRINA

V oici Katrina dans un look **extravagant** et **éclaté.**
Si tu souhaites t'amuser avec de la **peinture**
pour le visage et pour le corps, utilise un petit pinceau (de un à deux pouces de largeur). Pour cette
photo, j'ai préparé la peinture **bleue** et **verte** en la
mélangeant en une pâte avec un peu d'eau. (Ce
n'est pas toujours nécessaire ; tu peux aussi mouiller
ton **pinceau** et le frotter dans le pain de couleur).
Pour que Katrina soit d'humeur pour cette photo,
je lui ai demandé de prétendre qu'elle était une **star
de rock.** J'ai utilisé des pochoirs que j'avais créés
sur son visage et sur son cou, et j'ai peint la couleur
par-dessus, transformant son look **glamour** en look
extravagant. Tu peux réaliser cela très facilement
et rapidement sur un visage nu, ou tout simplement
ajouter une couleur vive à tout maquillage que tu
portes déjà. J'ai choisi un vert et un bleu vifs pour
Katrina parce que son signe est Scorpion, un signe
d'eau parmi les plus forts.

Visage Peinture pour le visage
bleue et verte appliquée
au pinceau.
Yeux Voir glam Katrina
en page 99.

extravagante Daisy

Chaque détail utilisé dans le maquillage **extravagant** de Daisy serait assez éclaté **seul.** Nous avons appliqué un fard à paupières en crème de couleur lilas avec de très longs faux-cils sur un œil. Nous avons ajouté un cercle de fard en crème jaune sur l'autre œil et de petits cercles de couleur sur la portion supérieure de sa joue. Si tu as une belle peau, tu peux faire cela sans autre maquillage ou base. Préserve la fraîcheur de ce look en portant du brillant mais pas de couleur sur les lèvres. As-tu jamais **rêvé** de te sauver avec la caravane du **cirque ?** Le look de Daisy comporte un tel sens de **magie** et de **plaisir,** mais elle n'a pas eu besoin de se sauver avec le cirque pour l'obtenir !

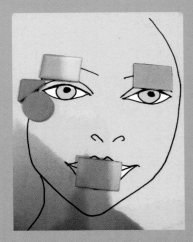

Yeux Fard à paupières en crème lilas, faux-cils sur un œil et fard en crème jaune sur l'autre.
Joues Petits cercles de fard en crème prune et vert.
Lèvres Brillant à lèvres.

extravagante JENNIFER

Jennifer et sa sœur Jessica se sont abandonnées à **toutes** les prises de photos réalisées pour ce livre, se livrant entièrement aux différentes **transformations** en ayant beaucoup de **plaisir**. Une de mes séances de photos avec Jennifer s'est spontanément transformée en **peinture libre** sur le corps. Si tu souhaites t'**amuser** de cette façon, décide d'abord des **couleurs** que tu souhaites utiliser. Lesquelles **préfères**-tu ? J'ai mélangé quelques couleurs de peinture pour le visage en une pâte épaisse, puis, avec des pinceaux de différentes tailles, en prenant soin de ne pas trop m'approcher de ses yeux, j'ai donné des coups de pinceau avec différentes couleurs. Mouille tes pinceaux légèrement avant de les **imbiber** de pâte et essaie de peindre sur ton bras pour t'assurer que tu as suffisamment de **maquillage** sur le pinceau en vue de **réaliser** un beau trait de couleur. Tu peux prendre deux ou trois couleurs sur ton pinceau à la fois en séparant les soies avec tes doigts et en trempant les différentes portions du pinceau dans différentes couleurs. Jennifer a tout l'air d'une **œuvre d'art** sur deux jambes !

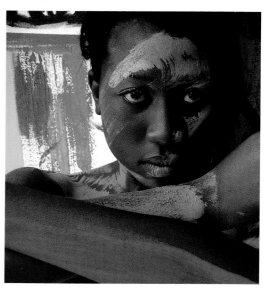

Visage et corps
Peinture pour le visage et le corps verte, mauve, jaune et bleue.

extravagante Tania

Pour les peaux qui ont une nuance de jaune comme celle de Tania, un **rose chaud** pour les lèvres contrastant avec un crayon pour les yeux d'une couleur inhabituelle permettront de créer un look **vibrant** et **extravagant**.

Pour réaliser ce maquillage, nous avons d'abord appliqué la base, la poudre et le cache-cernes.

Nous avons ensuite appliqué du fard à paupières en poudre rose pâle sur les paupières et un violet chatoyant plus foncé sur le pli de la paupière, pour ensuite l'appliquer vers le haut et vers l'extérieur. Nous avons mouillé le pinceau traceur pour les yeux et avons appliqué une fine ligne de traceur rose à la base des cils dans le coin extérieur des yeux.

Nous avons illuminé légèrement le dessus de la pommette à l'aide d'un peu de poudre blanche pour l'accentuer, puis avons appliqué un fard à joues d'une couleur chaude tout juste sous le blanc. À la fin de ce maquillage, Tania était suffisamment **électrisante** pour illuminer toute la pièce !

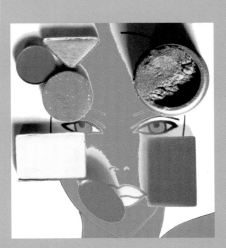

Visage Base, cache-cernes et poudre.
Yeux Fard en poudre rose pâle, fard violet chatoyant, traceur rose pour les yeux à la base des cils, sur le coin extérieur.
Joues Poudre blanche, fard à joues d'une teinte chaude.
Lèvres Rouge à lèvres rose chaud.

La puissance des astres

Il y a neuf planètes aussi magnifiques qu'uniques dans notre système solaire, et bien plus d'**étoiles** dans le ciel que nous pouvons en compter, tout comme les différents types de beauté sont nombreux et qu'il existe plus de façons d'exprimer cette beauté qu'il y a d'étoiles... Es-tu créative ? Forte ? Mystérieuse ? Drôle ? Toutes ces réponses ? La **puissance des astres,** c'est montrer aux gens ta **galaxie** unique de qualités magnifiques. Repère ton **signe astrologique** dans cette section, et tu trouveras une liste de couleurs, de caractéristiques et d'autres détails amusants qui te rendent différente de toute autre personne dans le zodiaque. Tu peux aussi regarder les autres signes pour mieux connaître tes amies. Prends des couleurs et des détails qui t'attirent vers un autre signe et mélange-les pour créer ton propre look et amener la **puissance des astres** à un niveau inégalé.

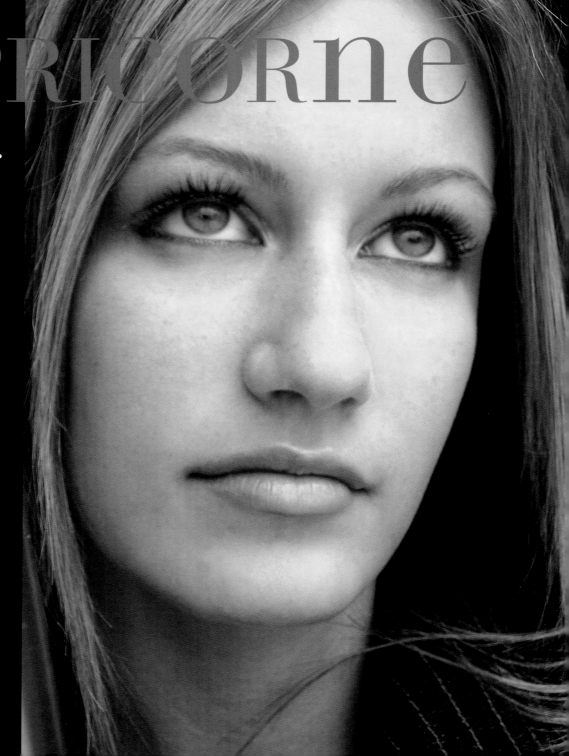

capricorne

24 décembre
au 20 janvier

**Célébrités
Capricorne**
Kate Moss, Safron,
Jude Law, David
Bowie, Jim Carrey,
Diane Keaton,
Elvis Presley, Sissy
Spacek, Tiger Woods
Couleurs Noir,
gris, vert foncé,
bleu marine
Fleurs Pensée,
pignon, ciguë, lierre
Pierre Saphir noir

Maquillage pour ados

Indépendante **Capricorne,** tes caractéristiques sont expressives et tes pommettes très jolies. Rend tes yeux **mélancoliques** encore plus **captivants** en les accentuant avec du blanc à la base des cils supérieurs et inférieurs, et à l'intérieur du bas des yeux.

Veille à appliquer du fard et du crayon pour les yeux dans un mouvement vers l'extérieur mais pas vers le haut. (Ne commence pas la ligne entre le coin intérieur et l'iris. Commence plutôt au coin intérieur. Cela allongera tes yeux.) Capricorne, tu as tendance à avoir une forme de visage étroite. Ce style de maquillage donnera donc l'impression que tes yeux sont plus larges. N'applique pas de crayon pour les yeux et de fard vers le haut parce que tu donneras l'impression que ton visage est plus long. Le même conseil s'applique à l'application du fard à joues.

Définis tes **lèvres** légèrement avec un rose mat classique, et donne-leur de la profondeur avec un brillant à lèvres teinté de noir.

béguin

Tu souhaites attirer un Capricorne ? Demeure douce et innocente. Porte les douces couleurs du Taureau ou le look plus subtil des Poissons.

Verseau

**21 janvier
au 18 février**

**Célébrités
Verseau**
Justin Timberlake,
Jennifer Aniston,
Christie Brinkley,
Stockard Channing,
Matt Dillon, Mia
Farrow, Farrah
Fawcett, Yoko Ono,
Chris Rock, Oprah
Winfrey, Alicia Keys
Couleurs Gris,
indigo, bleu élec-
trique, pastels,
ambre
Fleur Orchidée
Pierres Ambre,
saphir, perle noire

Les **Verseaux** ont un visage rond et une bouche large ou l'opposé... un front large et un menton effilé (un visage en triangle). Tu as de beaux grands yeux ronds et tes autres caractéristiques sont également superbes. Tu es une **beauté** cool, distante et créative, tu as beaucoup de taches de rousseur et tu es magnifique dans les teintes froides, même si tes cheveux sont roux.

Un maquillage **monochrome rose** (même couleur sur les lèvres, les yeux et les joues) rehaussera délicatement tes caractéristiques. Si tu souhaites quelque chose d'un peu plus insistant, tu peux accentuer tes yeux avec des teintes **fumée** de violet, de bleu et de gris, et garder tes lèvres d'une couleur douce et froide. Si tu souhaites quelque chose de plus **théâtral,** un violet foncé ou un gris fera très bien l'affaire.

Tu es prête à tout essayer et tu es magnifique avec des maquillages inusités. Tu peux aussi réchauffer ta froide beauté en portant du rouge à lèvres roux ou des bruns doux sur tes yeux. Des bijoux ambre seront aussi très efficaces.

béguin

Tu souhaites attirer un Verseau ?
Il sera intrigué par tout ce qui est inhabituel, mais le maquillage féminin et très flirt de la Balance ou le style profond, sombre et mystérieux de la Scorpion seront encore plus efficaces.

Poissons

19 février au 20 mars

Célébrités Poissons
Drew Barrymore, Kurt Cobain, Cindy Crawford, Fabio, Jean Harlow, Jennifer Love Hewitt, Jon Bon Jovi, Spike Lee, Rob Lowe, Sharon Stone, Elizabeth Taylor, Vanessa Williams

Couleurs Violet, turquoise, bleu-vert, argent

Fleur Lotus

Pierres Corail, améthyste

Tu es une **lumineuse** représentante du signe des **Poissons**. Ta beauté est accentuée par des teintes plus **froides.** Tu as tendance à avoir un **visage** ovale parfait qui est assez large et attrayant, avec des yeux mélancoliques et des lèvres bien pleines.

Tu peux ajouter à tes charmes déjà **irrésistibles** en accentuant tes **yeux** aqueux et fondants avec un crayon turquoise pour les yeux appliqué à l'intérieur de la portion inférieure de l'œil et à la base des cils supérieurs. Ou encore, tu peux te **laisser aller** et ajouter aussi du fard turquoise sur le pli de la paupière et par-dessus la ligne de crayon pour approfondir davantage le look. Utilise un rouge à lèvres rose choquant pour compléter ton look.

Si tu préfères l'option plus **subtile,** le gris et l'argent sont de magnifiques couleurs pour tes yeux. Utilise-les avec un lilas pâle sur les lèvres et du brillant chatoyant sur tes lèvres sensuelles. Veille à préserver la santé de ta peau avec des hydratants, et fais ressortir sa **brillance** naturelle avec des poudres **opalescentes.** Tes caractéristiques sont bien équilibrées et de forme attrayante... La douceur de ton visage te permet d'ailleurs d'utiliser des couleurs plus foncées pour les lèvres, dont les couleurs à base de bleu, pour obtenir un look théâtral. Porte-les sans maquillage sur les yeux, ou seulement avec une fine ligne de crayon pour les yeux afin de définir la forme amande de tes yeux. Voilà un autre look tout à fait séduisant !

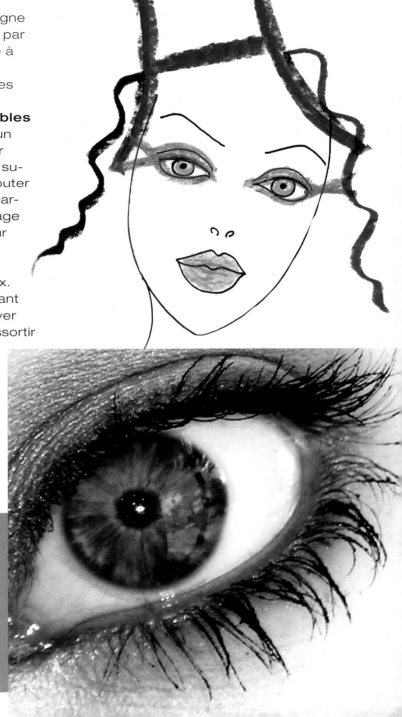

béguin

Tu souhaites attirer un Poissons ?
Il sera attiré par la force du maquillage de la fille Scorpion ou par celui d'un signe de terre davantage « groundé » comme une Capricorne distance et cool, ou une Vierge intrigante.

BÉLIER

21 mars au 20 avril

Célébrités Bélier
Victoria Beckam,
Ewan McGregor,
Matthew Broderick,
Céline Dion, Sarah
Jessica Parker,
Mariah Carey
Couleurs Rouge,
gris, noir
Fleur Chèvrefeuille
Pierres Pierre de
sang, diamant

Tu es une **Bélier** dynamique...Ta structure osseuse est solide, tu as une légère bosse aristocratique sur le nez et des lèvres bien formées. Forte et **moderne,** tu obtiens toujours le garçon que tu veux... Reste à savoir si tu le voulais vraiment... Toujours pressée, tu pars souvent sans maquillage et tu es superbe au naturel ; quand tu portes du maquillage, tu as tendance à adopter un look et à ne plus t'en départir.

Tu seras peut-être surprise, mais si tu ralentis quelque peu et prend le temps de t'**amuser** avec le maquillage, tu aimeras l'expérience et l'**attention** qu'on te portera quand tu l'utilises à ton avantage.

Tu pourrais tenter de masquer ta **force** avec un maquillage très féminin. Tu peux adoucir tes lèvres sensuelles avec un rouge à lèvres rose pâle et beaucoup de brillant à lèvres (mais tu es aussi **fabuleuse** avec un rouge vif sur les lèvres) et élargir tes yeux **perçants** en combinant des fards brun et gris fumée, et en les appliquant à partir de tes cils vers le haut, en dépassant le pli de la paupière. Trace ensuite une ligne de crayon noir sur tes yeux. Accentue tes pommettes en appliquant un brillant pour les joues.

Un maquillage rapide et tout aussi efficace consiste à utiliser le même produit partout : applique un peu de fard en crème doux ou doré pâle partout : paupières, joues et lèvres.

béguin

Tu souhaites attirer un Bélier ?
Les garçons Bélier ont un instinct de chasse assez développé. Tu dois donc être prête à jouer le rôle de la fille inatteignable si tu souhaites susciter son intérêt. Essaie le look distant de la femme Verseau ou le look passion de la fille Scorpion.

Taureau

**21 avril
au 21 mai**

**Célébrités
Taureau**
Kirsten Dunst,
David Beckam,
George Clooney,
Audrey Hepburn,
Janet Jackson,
Michelle Pfeiffer,
Uma Thurman,
Andy McDowell
Couleurs Vert,
rose
Fleurs Rose,
coquelicot,
violette, digitale
pourprés, vigne
Pierre
Émeraude

En tant que fille **Taureau,** tes caractéristiques sont souvent généreuses et tes yeux bien grands. Même si ta mâchoire et tes pommettes sont relativement angulaires, ton visage est tout de même **doux.** Extrêmement sensuelles, ton signe de terre est gouverné par Vénus, ce qui signifie que tes pieds sont bien à plat sur terre et que tu attires les garçons comme des mouches grâce à ta beauté **incendiaire.**

Tu recevras d'ailleurs probablement plus de demandes en mariage que la plupart des autres signes du zodiaque.

Tu peux devenir réellement **dangereuse** en ajoutant de la profondeur à tes lèvres avec un brillant teinté de noir, puis en éclaircissant le centre à l'aide d'un rose pâle ou d'un neutre. Ne fais pas l'erreur d'utiliser du fond de teint rose qui ferait perdre tout son éclat à ta teinte de peau si saine. Adoucis tes grands yeux en utilisant tes couleurs de Taureau, soit le rose et le vert ; applique un rose tendre sur toute la paupière et un vert fougère foncé sur le pli de la paupière. Tu peux aussi les rendre plus **exotiques** en appliquant du fard noir autour des yeux à la base des cils et une ligne de crayon noir à l'intérieur de la portion inférieure de l'œil.

béguin

**Tu souhaites attirer
un Taureau ?**
Essaie de porter le maquillage
de la Balance qui satisfera son
amour de la beauté.

GÉMEAUX

**22 mai
21 juin**

Célébrités Gémeaux
Elizabeth Hurley,
Colin Farrell,
Courtney Cox,
Johnny Depp,
Nicole Kidman,
Paul McCartney,
Marilyn Monroe,
Isabella Rossellini,
Brooke Shields,
Jewel, Mary-Kate
and Ashley Olsen
Couleurs Jaune,
mélanges multi-
colores, violet
Fleurs Muguet,
lavande
Pierres Aigue-
marine, alexandrite

Personne ne s'ennuie jamais avec une fille **Gémeaux** puisqu'elle est **enjouée** et intelligente. Tu as normalement la **chance** d'avoir une belle peau, un grand front, des traits bien équilibrés et de très jolies pommettes. Rehausse ta personnalité féminine et **enjôleuse,** ainsi que tes magnifiques yeux en forme d'amande un fard lilas sur tes paupières, puis en appliquant du crayon violet à la base de tes cils, en prolongeant la ligne jusqu'au coin extérieur des yeux. Ajoute une touche de couleur sur les lèvres et du brillant opalescent. Adoucis les angles de ton visage en utilisant une teinte douce de fard à joues sur tes pommettes.

Tu auras aussi un look d'enfer si tu accentues le côté **original** de ta personnalité avec un maquillage noir imposant pour les yeux, ou une couleur inusitée sur les lèvres, par exemple le jaune. Grâce à ta personnalité Gémeaux **changeante,** tu continueras de sou-haiter du **changement** et c'est très bien comme ça ; tes caractéristiques et ta personnalité te permettent d'adopter facilement tous les styles de maquillage du zodiaque, alors amuse-toi !

béguin

Tu souhaites attirer un Gémeaux ?
Rend-le fou de curiosité en adptant un nouveau style chaque fois que tu le vois. Porte le look conservateur froid de la Capricorne un soir, puis le look sensuel chaud de la Taureau le lendemain.

CANCER

22 juin au 22 juillet

Célébrités Cancer
Courtney Love,
Tobey McGuire,
Princesse Diana,
Prince William,
Ginger Rogers,
Missy Elliott,
Jessica Simpson,
50 Cent, Meryl
Streep
Couleurs Blanc,
or pâle, toutes les
couleurs perlées,
violet, turquoise
Fleurs Acanthe,
fleurs sauvages
Pierres Opale,
pierre de lune,
perle, cristal

Es-tu une fille **Cancer pleine lune,** avec un visage rond et court, et le nez légèrement large ? Ou es-tu une demi-lune avec un nez plus long et des traits plus forts ? Peu importe, tu as probablement une apparence douce, **rêveuse...** et un teint lumineux. Cancer **capricieuse,** fais ressortir ton côté lunaire **mystérieux** avec beaucoup de couleurs perle autour des yeux. Applique un violet chatoyant sur tes paupières, puis ajoute une touche de turquoise perlé par-dessus. Applique un fard à joues opalescent. Complète le look avec un rose à lèvres et une touche de brillant à lèvres blanc perlé pour faire ressortir tes lèvres qui font la moue. Tu peux aussi accentuer ta nature très **créative** en utilisant des teintes plus inattendues de couleurs pour les lèvres, comme un orange vif. Tu es **sentimentale** et sensible, mais... Ce que tu t'accroches aux choses ! Aucun garçon ne t'échappera jamais. Mais pourquoi voudrait-il échapper à une créature aussi dévouée et **captivante ?**

béguin

Si le garçon que tu souhaites attirer est un Cancer, sois mystérieuse et porte le maquillage de la fille Scorpion (sans le rouge à lèvres foncé) ou intrigue-le avec le style froid de la Capricorne. Tu peux aussi porter le maquillage Gémeaux. Il adorera les violets !

LION

23 juillet au 23 août

Célébrités Lion Madonna, Ben Affleck, Antonio Banderas, Melanie Griffith, Whitney Houston, Mick Jagger, Jennifer Lopez, Jacqueline Kennedy Onassis **Couleurs** Or et autres couleurs métalliques, rouges riches et mauves, couleurs royales **Fleurs** Tournesol, souci, romarin **Pierres** Rubis, diamant

La puissante et éclatante beauté des **Lion** provient de leur amour de la vie. Ta beauté **éblouissante** attire plusieurs ardents admirateurs. Ce sera tout particulièrement le cas si tu montres tous ta nature **chaude** et extravagante en améliorant tes lèvres avec une couleur rouge **vif** adoucie à l'aide d'une goutte de rose irisé au centre. Tes magnifiques yeux ronds qui pointent légèrement vers le haut sont remplis d'expression et n'ont besoin que d'être légèrement accentués. Tu peux y arriver avec du fard gris ou argent près des yeux, et du fard léger presque blanc sur l'arcade sourcillière. Du crayon noir pour les yeux mettra aussi l'accent sur tes yeux ; tu peux dont en porter avec une couleur pâle sur tes lèvres, ou tout simplement un brillant à lèvres. Ton visage rectangulaire a besoin de très peu... sinon pas du tout de fard à joues. Tu n'as qu'à souligner tes pommettes avec du fard **doré** ou à mettre en valeur ta nature **extravagante** avec un soupçon de couleur métallique argent d'un côté de ton visage.

béguin

Si le garçon que tu souhaites attirer est Lion, il aura besoin d'une femme glamour qu'il peut câliner mais aussi protéger. Si tu portes le maquillage Sagittaire, tu attireras certainement son attention, alors que le maquillage Cancer fera ressortir ses instincts protecteurs.

VIERGE

24 août au 22 septembre

Célébrités Vierge
Cameron Diaz,
Keanu Reeves,
Ingrid Bergman,
Reine Élizabeth Ire
(la Reine vierge),
River Phœnix,
Jason Priestley,
Claudia Schiffer,
Beyonce Knowles
Couleurs Bleu
marine, verts
ternes, gris,
turquoise
Fleurs Bleuet,
et toutes les
petites fleurs
colorées
Pierres Topaze,
aigue-marine

Attention : une **Vierge** n'est pas aussi ordonnée et rangée qu'on le croit... elle peut être pas mal éclatée à ses heures. Une Vierge typique a un visage ovale doux, des traits délicats et des yeux légèrement saillants entourés de sourcils hauts et délicats... ce qui ne l'empêche pas d'avoir sa touche de folie. Vierge, tu es superbe lorsque ton maquillage est bien **équilibré** dans des teintes de terre chaudes... ce qui ne t'empêche pas de briser le moule et de montrer ta **créativité** et ton côté **aventureux** en ajoutant des touches de couleur. Applique un jaune sable sur tes paupières, puis ajoute une touche de turquoise contrastant au centre de l'œil, au-dessus de la pupille. Applique un fard à joues en crème de couleur brique sur tes joues et sur tes pommettes pour faire briller ton visage. Complète ce look avec une teinte **foncée** de brillant à lèvres, par exemple un rouge brique. Si tu es une Vierge aux traits forts, par exemple si tu as de grands yeux et de bonnes lèvres, donne à ton maquillage un look **fort** en portant uniquement un rouge à lèvres imposant mais pas de maquillage sur les yeux. Essaie d'utiliser une teinte pêche douce de brillant à lèvres avec une touche de fard à paupières en crème vert foncé.

béguin

Tu souhaites attirer un garçon Vierge ? Sois distante et mystérieuse. Porte le maquillage froid Capricorne et le maquillage enjôleur de la Gémeaux. Mais pas le maquillage fou de la Gémeaux !

baLance

23 septembre au 23 octobre

Célébrités Balance
Kate Winslet, Brigitte Bardot, John Lennon, Gwyneth Paltrow, Susan Sarandon, Bruce Springsteen, Sting, Sigourney Weaver, Eminem
Couleurs Bleu ciel, vert feuille, rose, moutarde, noir
Fleur Rose
Pierres Diamant, jade blanc, corail

Tu es gouvernée par **Vénus,** la déesse de l'amour. **Élégance** et **raffinement** font partie de tes qualités. Les filles **Balance** ont souvent un visage en forme de cœur, des yeux qui pointent légèrement vers le haut et de magnifiques bouches et cheveux.

Tu sais instinctivement comment mettre en valeur ta beauté et tu es **fascinée** par les **couleurs.** Les pastels, le jaune moutarde et toutes les teintes de rose accentuent ta sensualité vénusienne et ton **charme.** Tu es également enchanteresse dans des bleus doux. Tu as un grand talent pour le maquillage et tu sais comment composer un look aussi **éblouissant** que celui de la photo. Le rose et le jaune sont une combinaison gagnante pour toi. Applique d'abord le fard à paupières rose, puis le fard jaune pâle dans les coins intérieurs des yeux. Pour accentuer tes lèvres, utilise d'abord du brillant, puis souligne-les **voluptueusement** avec un brun pour les lèvres et une touche de rose. Tu serais aussi magnifique avec des yeux foncés et enfumés, et des lèvres pâles.

béguin

Si le garçon que tu souhaites attirer est Balance, n'oublie pas que le garçon Balance est enjôleur et toujours en amour, mais qu'il n'est pas facile de conquérir son cœur. Tu dois être forte et stable. Essaie donc l'attitude indépendante du Bélier et son maquillage pour attirer son regard. Il aimera aussi le look élégant de la Balance.

SCORPion

24 octobre au 22 novembre

Célébrités Scorpion
Winona Ryder, Leonardo DiCaprio, Jodie Foster, Bill Gates, Whoopi Goldberg, Grace Kelly, Demi Moore, Meg Ryan, Nelly, Eve
Couleurs Noir, bourgogne, vert grand fond
Fleurs Rhododendron, fleurs rouge foncé
Pierres Pierre de sang, topaze

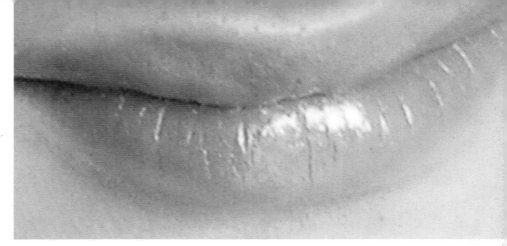

Si tu es **Scorpion**, ta beauté est **profonde** et **mystérieuse,** et tes yeux sont tout aussi **magnétiques** que perçants. Tes couleurs sont souvent foncées et tu as tendance à avoir un visage innocent large. Accentue doucement tes yeux en appliquant un joli fard à paupières vert sur toute la paupière ou en traçant une ligne verte à la base de tes cils. Adoucis tes lèvres voluptueuses avec un brillant pâle.

Même si ta beauté transparaît sans maquillage, le fait d'améliorer tes caractéristiques te donnera un sentiment de **puissance** que tu aimes bien. Si tu souhaites conquérir le cœur de quelqu'un, seul le garçon le plus fort pourra être à la hauteur de ta propre force (ceux qui sont faibles suivront leur instinct de survie et s'enfuiront) mais si tu portes un fard à paupières en crème noir ou presque noir, avec une touche de bleu foncé ou de vert foncé avec un rouge foncé sur les lèvres, tu seras irrésistible. Même un rouge foncé sur tes paupières avec du crayon vert foncé à l'intérieur de la portion inférieure de l'œil pour augmenter l'**intensité** de ton regard sera merveilleux. Complète ce look avec une teinte de pêche sur tes lèvres. Il ne faut pas exagérer quand même !

béguin

Si le garçon que tu souhaites attirer est un Scorpion, prends tes précautions ! Il est souvent très compliqué... Il est souvent attiré par plus d'une fille à la fois. Tu souhaites toujours continuer ? Alors n'exagère pas, mais ton look doit demeurer élégant. Il serait probablement attiré par la chaleur du maquillage de la Vierge. Le maquillage de la fille Lion devrait aussi faire l'affaire, mais laisse tomber l'éclat d'argent, qui risquerait d'être un peu trop éclaté.

sagittaire

23 novembre au 23 décembre

Célébrités Sagittaire
Britney Spears, Brad Pitt, Christina Aguilera, Tyra Banks, Kim Basinger, Maria Callas
Couleurs Bleu foncé, mauve, orange
Fleur Pissenlit
Pierres Améthyste, turquoise

Ton visage angulaire large est fin, tes traits sont parfaits et peuvent se perdre facilement. Tu dois donc te maquiller délicatement. **Sagittaire,** tu es **joyeuse, étincelante** de beauté, ton sourire est large et ta personnalité **invitante** est mise en valeur grâce à des teintes chaudes. Ta personnalité a toutefois un côté **excentrique** et tu t'ennuierais à n'utiliser que des teintes chaudes. Tu es à ton meilleur lorsque tu accentues ton **côté excentrique** en jouant avec les **couleurs contrastantes.** Tu devrais d'ailleurs toujours tenter d'avoir une peau et des joues chaudes et brillantes. Ta peau est normalement **lisse** et uniforme. Un hydratant teinté est donc un bon moyen d'accentuer sa chaleur. Pour obtenir un bon contraste sans exagération, applique le fard ou le crayon sur tes paupières. Si tu utilises une teinte pêche ou brune chaude sur tes yeux avec beaucoup de mascara, utilise ensuite un orange chaud sur tes joues et une teinte froide de rose sur tes lèvres. Si tu portes une teinte plus froide sur tes yeux, par exemple un fard taupe neutre ou violet froid ou encore un crayon violet (qui serait superbe), garde tes joues orange chaud et utilise une couleur orange **vif** sur tes lèvres, ou tout simplement un brillant à lèvres jaune. Essaie de mélanger le brillant à lèvres, le fard à paupières et une pincée de couleur pour les lèvres sur tes joues pour obtenir une brillance parfaite, juste assez pour accentuer ton look **étincelant.** « Faire simple » est la meilleure consigne pour toi.

béguin

Si le garçon que tu tentes d'attirer est Sagittaire, la tâche est à ta hauteur. Il n'est pas facile d'attirer un garçon aussi aventureux qui n'arrête jamais. Essaie le maquillage Bélier ou Cancer.

Index des mannequins